SAISON 2 A2+

Cahier **d'activités**

Isabelle Cartier
Camille Dereeper
Camille Gomy
Delphine Ripaud
Anne Valenza

didier

Références Iconographiques

Couverture - Chris Gramly/E+/Gettyimages

7	a	Kaarsten - Fotolia.com
7	b	Michel-R - Fotolia.com
7	c	Cartographer - Fotolia.com
7	d	RATP
8	2	Mattei-Fotolia.com
8	1	Lunamaria - Fotolia.com
8	3	Dina266f - Fotolia.com
8	4	Makuroni - Fotolia.com
8	5	Insanet - Fotolia.com
8	6	Ivanukh - Fotolia.com
8	7	Arsdigital - Fotolia.com
8	8	Lightwavemedia - Fotolia.com
14	a	Emmanuel Maillot - Fotolia.com
18	b	Markus Winkel / Istockphoto
18	c	Franz Massard - Fotolia.com
18	d	Ciesiel - Fotolia.com
19	a	Olly - Fotolia.com
19	b	Minerva Studio - Fotolia.com
19	c	Benis - Fotolia.com
19	d	Tyler Olson - Fotolia.com
21		Reena - Fotolia.com
26	1	Henri Ensio - Shutterstock
26	2	Okea - Fotolia.com
26	3	Beboy - Fotolia.com
26	4	Nenov Brothers - Fotolia.com
26	5	Contrastwerkstatt - Fotolia.com
26	6	Jojje11 - Fotolia.com
27	1	Africa Studio - Fotolia.com
27	2	Fotolia.com
27	3	Kasta - Fotolia.com
27	4	Visi.Steek - Fotolia.com
27	5	Martin Cintula - Fotolia.com
27	6	Goodluz - Fotolia.com
37	a	Bagiuiani - Fotolia.com
37	b	Scanrail - Fotolia.com
37	c	Apops - Fotolia.com
51	1	Brad Pict - Fotolia.com
51	2	Pandore - Fotolia.com
51	3	Philippe Minisini - Fotolia.com
58		Geoatlas - Graphie Orgue
67	a	L. Lelab - Fotolia.com
67	b	Mark Huls - Fotolia.com
67	c	Aldegonde le Compte - Fotolia.com
67	d	Martine Wagner - Fotolia.com
67	e	Yana - Fotolia.com
67	f	Margouillat photo - Fotolia.com
68	a	Antrey - Fotolia.com
68	b	Spencer Berger - Fotolia.com
68	c	Ulkan - Fotolia.com
68	d	Alekss - Fotolia.com
68	e	nfrPictures - Fotolia.com
68	f	Alexstar - Fotolia.com
86		Eric Fererberg / AFP
97	a	Alexandre Gi - Fotolia.com
97	b	VGoodrich - Fotolia.com
97	c	Eisenhans - Fotolia.com
97	d	Alison Bowden - Fotolia.com
97	e	Arenysam - Fotolia.com

Édition : Johanna Singer
Principe de couverture et direction artistique : Vivan Mai
Conception graphique intérieur : Marie-Astrid Bailly-Maître
Mise en page : LNLE
Illustrations : Domas
Enregistrements, montage et mixage : Olivier Ledoux (Studio EURODVD)

éditions didier s'engagent pour l'environnement en réduisant l'empreinte carbone de leurs livres. Celle de cet exemplaire est de :
500 g éq. CO$_2$
Rendez-vous sur www.editionsdidier-durable.fr

PAPIER À BASE DE FIBRES CERTIFIÉES

© Les Éditions Didier, Paris 2014 - ISBN : 978-2-278-7918-6
Imprimé en Italie

Achevé d'imprimer en janvier 2015 par LegoPrint
Dépôt légal : 7918/05

Sommaire

⓪ La langue française en action

Le présent de l'indicatif

Rappel

• Les verbes *être* et *avoir* sont irréguliers.
être : je suis / tu es / il, elle, on est / nous sommes / vous êtes / ils, elles sont
avoir : j'ai / tu as / il, elle, on a / nous avons / vous avez / ils, elles ont

• Pour les verbes du 1er groupe en –er, les terminaisons sont toujours les suivantes :
parler : je parle / tu parles / il, elle, on parle / nous parlons / vous parlez / ils, elles parlent
• Attention à ces verbes :
commencer : nous commençons
manger : nous mangeons
acheter : j'achète / nous achetons
préférer : je préfère / nous préférons
appeler : j'appelle / nous appelons
payer : je paie ou je paye / nous payons
envoyer : j'envoie / nous envoyons

1 Complétez les phrases avec le verbe qui convient.

terminons – a – essaie – ~~sont~~ – est – commençons – espère – parlent – étudies – voyagez – appelles – envoyez

a. Ils **sont** francophones, ils .... français.

b. Elle .... 20 ans et son frère .... plus jeune qu'elle.

c. Nous .... les cours à 9 heures et nous .... à 15 heures.

d. Tu .... le français ? Comment tu t'.............................. ?

e. Quand vous .... à l'étranger, vous .... toujours des cartes postales à vos parents.

f. J'........................ de parler français avec mes amis, j'...................... faire des progrès.

Rappel

• Les verbes du 2e groupe en –ir (*choisir, réussir, réfléchir, grossir, vieillir, grandir...*) suivent la conjugaison du verbe *finir*.
finir : je finis / tu finis / il, elle, on finit / nous finissons / vous finissez / ils, elles finissent
• Attention, certains verbes en –ir ne suivent pas ce modèle. Par exemple : *dormir, sortir, sentir, ouvrir, courir, venir...*

2 Entourez la terminaison correcte.

Exemple : Nous réfléch(issez / (issons)) avant de parler.

a. Les touristes dorm(ent / ons) à l'hôtel.

b. Il fait trop chaud, j'ouvr(e / es) la fenêtre.

c. Les étudiants sérieux réuss(issez / issent) leurs examens.

d. Qu'est-ce qu'on fait ce soir ? On sor(t / s)?

e. Vous chois(issent / issez) du fromage ou un dessert ?

Rappel

• Pour les verbes du 3ᵉ groupe, les terminaisons sont généralement les suivantes :
-s / -s / -t ou -d / -ons / -ez / -ent.
• Certains verbes ont un radical.
courir : je cours / nous courons (comme : rire, sourire)
entendre : j'entends / nous entendons (comme attendre, descendre, répondre, perdre...)
• D'autres verbes ont deux radicaux.
lire : je lis / nous lisons (comme conduire...)
écrire : j'écris / nous écrivons (comme inscrire)
voir : je vois / nous voyons (comme croire)

savoir : je sais / nous savons
• D'autres verbes ont trois radicaux.
prendre : je prends / nous prenons / ils, elles prennent (comme apprendre, comprendre)
venir : je viens / nous venons / ils, elles, viennent (comme tenir...)
vouloir : je veux / nous voulons / ils, elles veulent (comme pouvoir)
• Le verbe *faire* est irrégulier.
faire : je fais / tu fais / il fait / nous faisons / vous faites / ils font

---

3 Écoutez les phrases. Dites si on parle d'une personne, de plusieurs personnes ou si on ne sait pas.

	Une personne	Plusieurs personnes	On ne sait pas
Ex. : Elle apprend le français.	X		
1	x *vient*		
2		x *lisent*	
3	O *pd.*		
4			*vient*
5		x *sor*	
6	O *vis*		
7	x		*t*
8	x		

---

4 Conjuguez les verbes au présent.

Je (vivre)......*vis*...... à Bucarest, en Roumanie. Je (être)......*suis*...... chauffeur-routier.
Dans mon entreprise, nous (faire)......*faisons*...... du transport international.
Je (conduire)......*conduis*...... des camions dans toute l'Europe. Je (partir)......*pars*......
pendant trois ou quatre jours. Quelquefois, je (dormir) ......*dors*...... dans mon camion.
En Roumanie, beaucoup de gens (comprendre)......*comprennent*...... le français mais les jeunes ne (savoir)
......*savent*...... pas bien parler français. Moi, j'(aimer)......*aime*...... cette langue parce
qu'elle me (permettre)......*permet*...... de communiquer en France, mais aussi en Belgique et en Suisse.

---

5 Écoutez Maria Isabel et complétez le texte avec les verbes conjugués au présent. 🔊2

Elle s'appelle Maria Isabel mais ses amis l'......................... Maribel.
Elle ......*vient*...... d'Espagne mais elle ......*vit*...... à Toulouse. Elle ....
en colocation avec Pilar, une amie espagnole. Elles .... toutes les deux le français à l'Alliance
Française. Elles .... des cours dans la même classe. Maria Isabel ....
devenir professeur de français et Pilar ......*veut*...... travailler dans le domaine du tourisme.

6 **Écrivez le mot qui correspond à la définition.**

langue – ~~pays~~ – français, e – France – mot

Exemple : pays   n.m. (lat. *pagus*) Nation, État

a. .... n.f. (lat. *francia*) Pays d'Europe de l'Ouest.

b. .... adj. et n. Qui vient de France.

c. .... n.f. (lat. *lingua*) Ensemble de mots qui permet de communiquer.

d. .... n.m. Son ou groupe de sons qui a un sens.

> **Lexique**
> Observez :
> **Francophone** : adj. et n. (lat. *francia*, gr. *phonê* : voix) Qui parle le français.
> **Francophonie** : n.f. Ensemble des peuples qui parlent le français. Dans le dictionnaire, on indique la nature du mot (n.m. : nom masculin / n.f. : nom féminin / adj. : adjectif / v. : verbe...) et la définition du mot. On indique aussi parfois l'origine du mot (lat. : latin / gr. : grec...).

7 **Complétez le dialogue à l'aide des expressions suivantes.**

~~c'est une sorte de~~ – qu'est-ce que ça signifie – ça veut dire quoi – ça veut dire – c'est

Marion : Tu viens d'où ?

Anousha : De l'île Maurice, une petite île dans l'océan Indien.

Marion : Ah oui ? On parle français à l'île Maurice ?

Anousha : Oui, beaucoup de gens parlent français. Mais on a des mots différents.

Par exemple, tu connais le mot « aïo » ?

Marion : Non, ... ?

Anousha : « Aïo », ... une expression comme « Oh ! Là, là ! ». On l'utilise quand on est surpris par exemple.

Marion : Ah, d'accord.

Anousha : Et si je te dis « Viens chez moi, on va casser une pause et manger un pain fourré », tu comprends ?

Marion : Ben non ! .... ?

Anousha : « Casser une pause », ... se reposer et « un pain fourré »,

c'est une sorte de sandwich chaud ou froid.

Rappel

Le lexique de la géographie :
• la Terre
• le monde
• un continent
• un pays
• un État
• une région
• une mappemonde

8 Comment s'appellent ces documents ? Choisissez l'expression correcte.

le plan du métro parisien – un plan de ville – une carte de France – une mappemonde

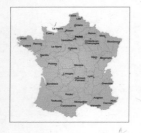 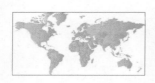 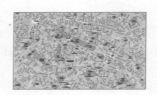 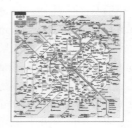

a. .... b. .... c. .... d. ....

9 Complétez cette grille de mots croisés.

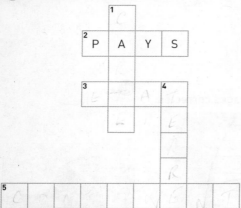

a. Horizontal
2. La Chine est le ... le plus peuplé du monde.
3. Pays, nation.
5. L'Asie est un ...

b. Vertical
1. Je vais voyager en Italie, alors j'achète une ... d'Italie.
4. Notre planète.

LEXIQUE Communiquer

10 Entourez le mot qui convient.

Exemple : Je (dis / parle) « bonjour » à ma voisine.
a. Nous (disons / parlons) avec nos parents au téléphone.
b. Ils (écoutent / expliquent) bien leur professeur.
c. Notre professeur (explique / justifie) bien.
d. Je cherche la définition des (mots / phrases) dans le dictionnaire.

GRAMMAIRE Le futur proche

Rappel

• À l'oral, on utilise beaucoup le futur proche pour parler d'une action ou d'un événement qui va se dérouler dans le futur.

• Formation :
Verbe *aller* au présent + verbe à l'infinitif.
Ex. : Je vais partir à Paris.
À la forme négative : Je ne vais pas partir à Paris.

11 Remettez les mots des phrases dans l'ordre.

Exemple : professeur / travailler / Tu / comme / vas
Tu vas travailler comme professeur.

a. à / inscrire / Nous / nous / allons / l'université

....

b. française / Elle / va / ne / pas / grammaire / la / oublier

....

c. Vous / à / installer / vous / Paris / allez

....

d. mon / Je / vais / rester / ne / pays / dans / pas

....

e. se / vont / pas / ne / reposer / Ils / !

....

12 Regardez les dessins puis écoutez Anne et Lise.
Qu'est-ce qu'elles vont faire pendant les vacances ? Cochez les images correctes.

Anne :

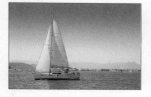

a. ☐

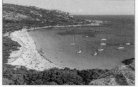

b. ☑

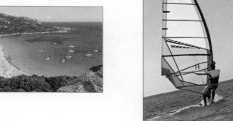

c. ☐

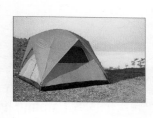

d. ☑

Lise :

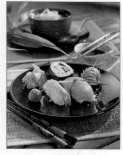

a. ☑

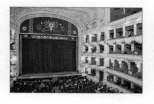

b. ☐

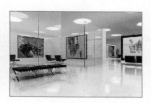

c. ☐

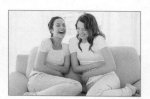

d. ☐

GRAMMAIRE L'impératif

13 Dans ces phrases, dites si l'impératif sert à inviter à faire quelque chose, à conseiller ou à donner un ordre.

	Inviter à faire quelque chose	Conseiller	Donner un ordre
Ex. : Sortez immédiatement !			X
a. Asseyez-vous, je vous en prie.	X		
b. Si tu ne te sens pas bien, va voir un médecin.		X	
c. Silence ! Taisez-vous maintenant!			X
d. Réfléchis bien avant de partir.		X	
e. Sers-toi, prends une part de gâteau.	X		
f. Repose-toi, tu travailles trop.		X	

💡 Rappel grammaire

Quand le verbe est pronominal (*ex.* : se lever), le pronom se place après le verbe :
Lève-toi !
Levons-nous !
Levez-vous !

14 Votre ami veut voyager en France. Donnez-lui des conseils. Transformez les phrases en utilisant l'impératif.

Exemple : Tu dois bien préparer ton voyage.
→ Prépare bien ton voyage.

a. Tu dois réserver ton billet d'avion à l'avance pour payer moins cher.
→ .... ton billet d'avion à l'avance pour payer moins cher.

b. Tu dois apprendre quelques mots de français.
→ .... quelques mots de français.

c. Tu dois choisir deux ou trois villes intéressantes.
→ .... deux ou trois villes intéressantes.

d. Tu dois aussi te renseigner sur le temps qu'il fait.
→ .... sur le temps qu'il fait.

e. Si tu voyages avec un ami, vous devez vous informer sur les hôtels qui proposent des chambres doubles.
→ Si tu voyages avec un ami, ... sur les hôtels qui proposent des chambres doubles.

f. Quand vous serez arrivés, vous devez bien profiter de votre voyage !
→ Quand vous serez arrivés, ... bien de votre voyage !

LEXIQUE Les loisirs

15 **Quelle activité conseillez-vous à ces personnes ?**

1. Valérie aime créer des vêtements.   •   • **a.** le bénévolat

2. Thomas aime le calme et la nature.   •   • **b.** l'écriture

3. La petite Nina adore faire des spectacles pour ses parents.   •   • **c.** le cirque

4. Florence aime aider les autres.   •   • **d.** la cuisine

5. Pierre a beaucoup d'imagination, il aime raconter des histoires. •   • **e.** la randonnée

6. Marie aime préparer des plats pour sa famille.   •   • **f.** la couture

16 **Écoutez ces personnes et dites quel loisir ou quelle activité elles pratiquent.** 🔊 4

Exemple : personne 1 → Il fait de la randonnée.

a. Elle fait ....

b. Il fait ....

c. Il fait ....

d. Il fait ....

e. Elle fait ....

LEXIQUE Exprimer sa capacité / son incapacité de faire quelque chose

Rappel

Pour exprimer sa capacité ou son incapacité de faire quelque chose et décrire
ses talents, on utilise les expressions suivantes.

- Je peux...
- Je suis capable de...
- Je sais...
- Je suis incapable de...
- Je n'arrive pas à ...
- Je suis bon / mauvais / nul en...

17 **Associez le début et la fin de la phrase.**

1. Je m'entraîne tous les jours, maintenant je suis capable •   • **a.** à jongler avec quatre balles.

2. Il est bon en natation, il peut •   • **b.** de courir 20 kilomètres !

3. Mon gâteau est complètement raté, je suis nul •   • **c.** jouer de la guitare.

4. Elle chante mal mais elle sait •   • **d.** en cuisine !

5. Il faut encore qu'il s'entraîne, il n'arrive pas •   • **e.** nager longtemps sans s'arrêter.

18 Écoutez ces personnes et dites si elles sont capables ou incapables
de faire quelque chose. 🔊 5

	il / elle est capable	il / elle est incapable
Exemple :	X	
a.		
b.		
c.		
d.		
e.		

GRAMMAIRE Les adjectifs possessifs

19 Choisissez la réponse qui convient.

Exemple : Et vos filles, elles s'appellent comment ?
☐ Mon fils s'appelle Théo.
☒ Angèle et Lucie.
a. C'est ton stylo ?
☐ Non, c'est le stylo de Marc.
☐ Non, c'est mon stylo.
b. Vous êtes bon en dessin ?
☐ Non, mes enfants disent que je suis nul !
☐ Leur dessin est très joli !
c. Tu t'inscris aux jeux de la Francophonie ?
☐ Oui, mon ami joue bien.
☐ Oui, je veux montrer mes talents de danseur.
d. Mathieu et Céline vont faire cette randonnée avec leurs enfants ?
☐ Non, ses enfants sont trop petits.
☐ Non, ils sont trop petits.

20 Complétez le texte avec des adjectifs possessifs.

Une famille pleine de talents !

Dans ma famille, tout le monde a un ou plusieurs talents ! José et Sarah,
.... parents, sont de très bons musiciens. Avec .... guitare, ...
père peut jouer du jazz, du rock et aussi du flamenco !

Et .... mère chante très bien ! .... voix est magnifique et j'adore
.... chansons.

Ils préparent .... spectacle tous les vendredis soirs et montrent
.... talents dans un café de quartier.

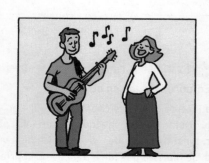

BILAN

1 Demander une définition, définir un mot

Comptez 0,5 point par bonne réponse.

Complétez le dialogue avec les expressions proposées.

C'est – Ça signifie – C'est une sorte – Qu'est-ce que ça veut dire

— Je suis canadien mais je suis francophone.

— Francophone ? C'est quoi ?

— .... que je parle français. Le français est ma langue maternelle.

— Ta langue maternelle ? .... ?

— .... la langue parlée dans ma famille. Mais nous parlons aussi le « chiac ».

— Le chiac ?

— Oui, c'est un dialecte. .... de langue qui mélange l'anglais et le français.

/2

2 La géographie

Dites si ces propositions sont vraies ou fausses.

	Vrai	Faux
a. Une mappemonde est une carte du monde.		
b. Dans le monde, il y a 3 pays francophones.		
c. L'Asie est un grand pays.		
d. Le Canada est un État d'Amérique du Nord.		

/2

3 Les loisirs

Que font-ils ? Complétez les phrases.

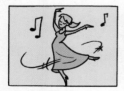

a. Elle fait
....

b. Il fait
....

c. Ils font
....

d. Elle fait
....

e. Ils font
....

/2,5

4 Exprimer sa capacité / son incapacité de faire quelque chose

Entourez de , à , en ou ∅.

a. Est-ce que tu es capable (de – à – en – ∅) sauter dans la piscine ?

b. Tristan ne sait pas (de – à – en – ∅) parler anglais.

c. Il est très bon (de – à – en – ∅) histoire, il connaît tous les rois de France.

d. Je n'arrive pas (de – à – en – ∅) porter ce sac, il est très lourd !

/2

5 Le présent de l'indicatif

Complétez avec les verbes qui conviennent au présent.

s'appeler – apprendre – dormir – avoir – posséder – ouvrir – partager – venir

— Bonjour ! Je .... Awa et j' .... 21 ans.

J'.. le droit à l'université d'Abidjan, en Côte d'Ivoire.

Je .... dans une chambre sur le campus avec deux amies. Nous ....*partageons*..........

la cuisine et la salle de bain avec six autres étudiantes.

— Moi, c'est Alice. Je .... un salon de coiffure sur le campus de l'université.

J'.. le salon en fin d'après-midi et les étudiants ......*viennent*...........

après leurs cours.

/4

6 Le futur proche

Choisissez un verbe pour compléter les phrases et conjuguez-le au futur proche.

tomber – suivre – étudier – se blesser - ne pas s'ennuyer

a. Elle apprend le français parce qu'elle .... à Lyon l'année prochaine.

Elle ....*va*.................... des cours à l'école d'architecture.

b. Attention ! Tu .... et tu .... !

c. Pendant les vacances, je vais dans le sud de la France. Il y a plein de choses intéressantes

à faire, je .... !

/2,5

7 L'impératif

Remettez les mots dans l'ordre.

Conseils à un ami qui apprend le français.

Pendant les cours :

a. bien – Écoute – professeur – le

....

b. tu – questions – des – , – Si – ne – pas – pose – comprends

....

c. Parle – les – français – étudiants – avec – autres

....

Après les cours :

d. quelques – du – Fais – exercices – cahier

....*Fais quelques exercices du cahier*....

e. Essaie – films – de – regarder – des – français – en

....*de regarder des films*....

/2,5

8 Les adjectifs possessifs

Entourez le mot correct.

a. Quel est (ton – ta – votre) nom, madame ?

b. J'ai 25 ans aujourd'hui, c'est (mon – ma – ton) anniversaire.

c. N'oublie pas (ton – ta – votre) passeport pour prendre l'avion !

d. Ils ont deux enfants. (Ses – Leur – Leurs) enfants s'appellent Manon et Louis.

e. Lili va partir en vacances avec (son – sa – leur) mari.

/2,5

Résultats : .... /20 points

LEXIQUE La fréquence

→ Point Récap', livre p. 34

① Choisissez le mot qui convient pour indiquer la fréquence.

Exemple : Guillaume ne voyage pas, il a peur de l'avion. → Il ne prend *jamais* l'avion.
(toujours/<u>jamais</u>/de temps en temps)

a. Hekmat voit sa famille 12 fois par an. → Elle prend le train pour rendre visite
à sa famille .... (rarement/jamais/tous les mois).

b. Mes voisins sont souvent absents. → Je rencontre .... mes voisins.
(toujours/rarement/tout le temps)

c. Mon grand-père adore Internet. Il m'écrit .... des mails. (souvent/rarement/jamais)

d. Jean est passionné de natation. → Il va à la piscine ....
(quelquefois/parfois/tout le temps).

e. Valérie travaille beaucoup et rentre tard du travail. → Elle rentre ....
tôt pour faire du sport. (jamais/de temps en temps/toujours)

f. Mon frère ne donne pas beaucoup de nouvelles. → Mais il vient .... me voir.
(jamais/tous les matins/parfois)

② Écoutez et indiquez la fréquence des activités de Lucie avec les mots suivants. 🔊 6

~~tous les mercredis~~ – quelquefois – jamais – parfois – de temps en temps – toujours – tout le temps

Exemple : les cours de piano	tous les mercredis
écouter de la musique	
chanter	
le cinéma	
boire un café avec des copines	
aller en boîte de nuit	
l'opéra	

③ Écoutez l'interview et notez la fréquence des actions de chaque personne. 🔊 7

Exemple : Personne 1 : Elle entre en contact tous les jours avec des gens sur Internet.

Personne 2 : Il noue .... de nouvelles relations.

Personne 3 : Il rencontre .... des nouvelles connaissances.

Personne 4 : Elle s'est .... fait des amis au travail.

GRAMMAIRE Conjugaison : *boire*

4 **Conjuguez le verbe *boire* au présent de l'indicatif.**

Exemple : Je bois un chocolat chaud tous les dimanches matin.

a. Paul .... du jus d'orange tous les matins.

b. Mes grands-parents .... du café au lait au petit déjeuner.

c. Vous .... du thé ?

d. Tu .... du soda chaque jour.

e. Mes sœurs et moi .... du lait frais depuis que nous sommes petites.

> 💡 **Rappel grammaire**
> Le verbe *boire* au présent de l'indicatif n'utilise pas le même radical avec les trois dernières personnes du pluriel :
> nous buv-ons,
> vous buv-ez,
> ils boiv-ent.

GRAMMAIRE Le passé composé et l'accord du participe passé (1)

→ Point Récap', livre p. 35

5 **Complétez le tableau.**

Verbe	Participe passé	Accord du participe passé ?
Exemple : tomber	tombé	Elle est .... dans l'escalier.
Venir		Elles sont .... hier soir.
Courir		Nous avons .... le marathon de New York.
Recevoir		Lydie Salvayre a .... le prix Goncourt 2014.
Rester		Ils sont .... à la piscine jusqu'à 20 heures.
Lire		Vous avez .... le dernier livre de David Foenkinos ?

6 **Mettez le verbe entre parenthèses au passé composé, comme dans l'exemple.**

Exemple : Mes amis *sont partis* en vacances. (partir)

a. Ma sœur et mon frère .... acheter un magnifique cadeau pour nos parents. (sortir)

b. Le bébé .... à 2 h 00 du matin. C'est une jolie petite fille ! (naître)

c. Tu .... du train à 18 h 00. (descendre)

d. Jacques .... en Chine l'année dernière. (retourner)

e. Nous .... ce livre de Victor Hugo. (ne jamais lire)

f. Est-ce qu'elle .... avec sa mère ? (venir)

7 Décrivez chaque dessin et utilisez le passé composé avec l'auxiliaire *être*.

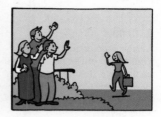

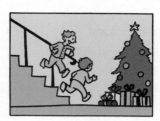

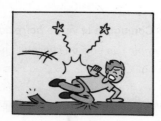

Exemple : Elle est partie.

a. Les enfants ....

b. Le garçon ....

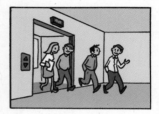

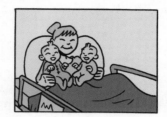

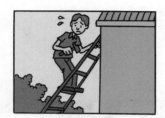

c. Ils ....

d. Les jumeaux ....

e. L'homme ....

GRAMMAIRE *qui/que* et *ce qui/ce que*

→ Point Récap', livre p. 35

8 Reliez les propositions pour former des phrases.

1. Les légumes   ●   ● **a.** que je rencontre sont toujours très sympathiques.

2. La voiture   ●   ● **b.** que je mange sont biologiques.

3. Les étudiants   ●   ● **c.** qu'il a, sont ennuyeux.

4. Les livres   ●   ● **d.** qui est produite dans ce village provençal.

5. L'acteur   ●   ● **e.** que tu as achetée coûte très cher.

6. C'est de l'huile d'olive ●   ● **f.** que je préfère joue dans ce film.

9 Complétez par *qui* ou *que*.

Exemple : Je vais à mon cours de français *qui* a lieu tous les mercredis.

a. Mathilde ? C'est la voisine .... sort toujours avec un petit chien blanc.

b. C'est cette chemise .... je veux acheter.

c. Mon collègue est un homme .... est très drôle.

d. La photographie est le loisir .... je préfère.

e. C'est le frère de Charlotte .... parle français.

f. Je te présente Consuelo .... j'ai rencontrée à l'université.

10 Identifiez les intérêts et les projets d'avenir de Mathis, étudiant à la Sorbonne.
Un nouvel étudiant lui pose des questions, complétez ses réponses d'après l'exemple.

Exemple : Quelle est la sortie qui te fait plaisir ? → Ce qui me fait plaisir, c'est un bon repas au restaurant.

Centres d'intérêts	Les sites d'information sur Internet Littérature japonaise
Loisirs	Sortir au restaurant Jogging
Projet d'avenir	Devenir journaliste Apprendre le français, l'arabe et l'espagnol

a. Qu'est-ce que tu préfères sur Internet ? ....

b. Qu'est-ce que tu fais comme sport ? ....

c. Qu'est-ce que tu veux faire comme métier après tes études ? ....

d. Qu'est-ce qui t'intéresse en littérature ? ....

e. Qu'est-ce que tu souhaites apprendre ? ....

LEXIQUE Les vêtements

→ Point Récap', livre p. 34

11 Observez le dessin, nommez les vêtements à l'aide des mots suivants.

~~pantalon~~ – robe – manteau – chemise – veste – bottes

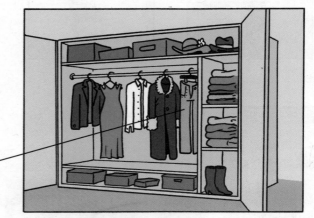

pantalon

12 Associez les personnages à leur description.

a. Il porte des bottes, un pantalon et une veste verts.

b. Il porte un pyjama et un bonnet très chauds.

c. Elle porte une jupe, un gilet, des chaussons et des lunettes.

d. Il porte un costume, une cravate et une chemise blanche.

f. Il porte un tee-shirt, un short, des chaussures de sport et une casquette.

e. Elle porte une robe longue, un châle et des chaussures à talons.

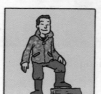

1. *Exemple* : **a.**

2. ....

3. ....

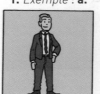

4. ....

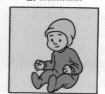

5. ....

6. ....

13 Écoutez la description de ces personnes et indiquez leur nom 🔊 8
sous l'image qui correspond.

~~François~~ – Mélissa – Aude – Oscar –Jean-Luc – Ludovic

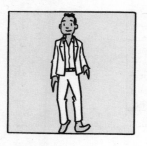

a. *Exemple* : François

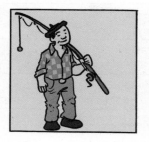

b. ....

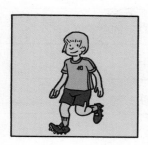

c. ....

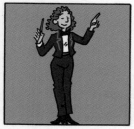

d. ....

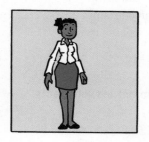

e. ....

f. ....

LEXIQUE Les qualités et les défauts

→ Point Récap', livre p. 34

14 Entourez l'adjectif qui correspond à l'animal.

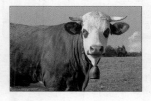

a. calme/agressive

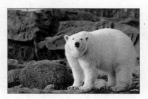

b. dangereux/créatif

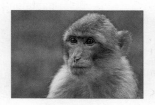

c. drôle/courageux

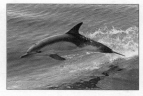

d. intelligent/paresseux

15 Entourez l'adjectif qui est un défaut.

Exemple : généreux/gentil/(agressif)

a. impatient/souriant/gourmand

b. hypocrite/courageux/doux

c. égoïste/drôle/créatif

d. intelligent/sympathique/jaloux

e. joyeux/paresseux/organisé

16 Écoutez les quatre portraits. Indiquez sous chaque photo
les qualités et les défauts que vous entendez à l'aide des mots suivants.

intelligente – courageuse – drôle – original – gentille – créative – sensible – généreuse – sévère – tendre –
imaginatif - extraordinaire

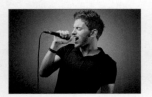 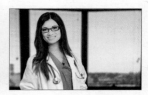 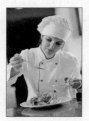

a. .... **b.** .... **c.** .... **d.** ....

....

....

GRAMMAIRE Le féminin et le pluriel des adjectifs → Point Récap', livre p. 35

17 Complétez les phrases avec les adjectifs suivants.

sportifs – bruyante – ennuyeuses – géniaux – ~~délicieuse~~ – belles
Exemple : Cette soupe de potiron est *délicieuse*.

a. Cette rue est ....

b. Les acteurs de ce film sont ....

c. Ils ne sont pas très ....

d. Ces .... fleurs sont des lys.

e. Les émissions de télévision du samedi soir sont ....

18 Écrivez le texte suivant au féminin pluriel.

Je l'ai rencontré en Argentine. C'était mon <u>premier</u> étudiant. Il était très <u>grand</u>, <u>timide</u> et un peu <u>peureux</u>.

....

....

....

19 Écoutez le dialogue et notez tous les adjectifs que vous entendez
dans la colonne du tableau qui convient.

féminin	masculin
	Exemple : intéressant

20 **Reliez les éléments pour reconstituer les phrases.**

Exemple : **1.** Je
2. Tu
3. Il
4. Nous
5. Vous
6. Ils

● **a.** déjeunions.
● **b.** regardait.
● **c.** sortaient.
● **d.** conduisiez.
● **e.** finissais.
● **f.** partageais.

21 **Mettez les phrases à l'imparfait.**

Exemple : Il pense à sa mère. → Il pensait à sa mère.

a. Elle est heureuse. → ....

b. Nous mangeons à la cantine. → ....

c. Vous connaissez la fin de l'histoire. → ....

d. Ils essayent d'écouter. → ....

e. Tu choisis toujours l'éclair au chocolat. → ....

f. Nous comprenons tout. → ....

22 **Lisez et complétez le texte en utilisant l'imparfait.**

Mon lieu préféré dans la maison quand j'...................... petit, c'était la cour.
Nous n'......................... pas de jardin ni de balcon, mais une petite cour qui donnait sur la
cuisine et le salon de la maison. C'était petit, mais ça me .... immense.
Je .... pendant des heures avec mon frère et mon père nous ....
gentiment pendant qu'il .... la cuisine. Il y .... une plante géante qui
faisait de l'ombre en été et qui nous .... de la pluie. On .... à cache-
cache entre les pots de fleurs et on .... des barbecues en famille en été.

PHONÉTIQUE La liaison

23 Notez les liaisons.

a. Les habitants de cette ville sont adorables.
b. Je ne vous ai pas reconnue !
c. Je vais courir de temps en temps au parc.
d. J'ai pris un billet pour partir avec mes enfants et ma femme.
e. Nos amis sont très sportifs.
f. Ils adorent aller marcher avec leurs enfants.
g. Mes amis adorent le chocolat.
h. Ça fait deux heures que je vous attends !
i. On appelle ton oncle ?

PHONÉTIQUE Les consonnes finales

24 Barrez les lettres finales non prononcées.

a. C'est un homme sportif et courageux.
b. Cet hiver, je pars à la mer au soleil !
c. J'ai toujours un livre dans mon sac à main.
d. Il est très jaloux de son ami.
e. Cette émission est vraiment superficielle.
f. Tu en as combien ? J'en ai seulement cinq.
g. Un jour, on ira dans ce nouveau bar.
h. Il prend son temps pour faire ses courses.
i. C'est un garçon très intelligent.

PRODUCTION ORALE Poser des questions sur quelqu'un

25 Vous rencontrez le père de votre ami d'enfance que vous n'avez pas vu depuis très longtemps. Il vous montre des photos de lui et répond à vos questions. 🔊 11

Posez-lui des questions pour savoir ce qu'il est devenu. Observez l'album-photo pour orienter vos questions.

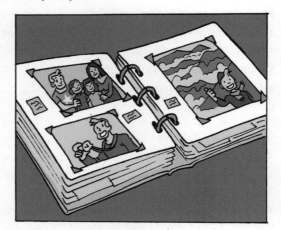

PRODUCTION ÉCRITE Écrire un poème

26 Observez l'image suivante. Écrivez deux vers qui riment en « è ».

....
....

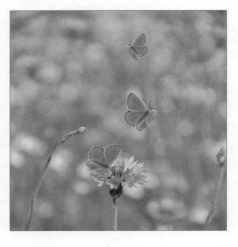

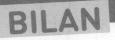

1 La fréquence

Placez les mots suivants dans les phrases.

Comptez 0,5 point par bonne réponse.

rarement – jamais – toujours – quelquefois – tous les

a. Tu n'as .... vu ce film ?

b. Vous faites du sport .... jeudis.

c. Je ne suis pas ponctuel, je suis .... en retard. C'est un problème.

d. Nous vivons au Japon alors nous parlons .... français.

e. Je vais .... dans ce parc, mais il est un peu loin de ma maison.

/2,5

2 Les vêtements

Choisissez les mots qui conviennent et complétez le texte.

chemises – lunettes de soleil – pull – maillot de bain – casquette – bottes – tee-shirts – shorts – cravate

Pour aller au club de vacances en Provence, j'ai mis dans ma valise trois ....

et beaucoup de .... à manches courtes pour faire du sport.

Une .... pour me protéger du soleil. Un .... car je vais me

baigner ça c'est sûr... Je ne prends pas de .... parce qu'il fait très chaud là-bas

au mois d'août. Et quelques belles .... pour le soir.

/3

3 Les qualités et les défauts

Cochez la réponse qui convient.

a. Paul ne pense pas aux autres, il n'est pas généreux.

Il est : ☐ sociable ☐ égoïste ☐ ponctuel

b. Sophie ne parle jamais. Elle a peu d'amis, elle rougit quand on lui parle.

Elle est : ☐ bavarde ☐ paresseuse ☐ timide

c. Gérard travaille beaucoup, il rentre tard le soir. Il ne prend jamais de vacances.

Il est : ☐ compétent ☐ décontracté ☐ travailleur

d. Marianne aide les personnes âgées. Elle leur fait à manger. Elle se promène avec eux.

Elle est : ☐ patiente ☐ superficielle ☐ solitaire

/2

4 Le passé composé et l'accord du participe passé

Entourez la forme correcte du participe passé.

a. Vous êtes (arrivé/arrivés/arrivée) en gare de Nice.

b. Elle a (faites/faite/fait) une belle tarte aux fraises.

c. Marie et Paul sont (allé/allés/allées) au musée d'histoire naturelle.

d. Nous avons (couru/courues/courus) toute la matinée.

e. Grand-père est (venu/venus/venue) chez nous cet été.

/2,5

5 *qui/que* et *ce qui/ce que*

Complétez le texte avec les mots suivants.

qui – que – qu' – ce qui – ce que

a. Mon voisin m'a donné des fraises .... il cultive dans son jardin.

b. J'ai un frère .... s'appelle Fabien.

c. Tu dois faire .... je te demande.

d. Vous devez me dire .... ne va pas.

e. .... est important, c'est de bien dormir.

/2,5

6 **Le féminin et le pluriel des adjectifs**

Mettez l'adjectif à la forme qui convient.

Exemple : Il est méchant (féminin pluriel) → Elles sont méchantes.

a. Elle est gentille (masculin singulier) → ....

b. Il est doux (féminin singulier) → ....

c. Il est pensif (féminin singulier) → ....

d. Elle est loyale (féminin pluriel) → ....

e. Il est furieux (féminin singulier) → ....

/2,5

7 **L'imparfait**

Conjuguez les verbes entre parenthèses à l'imparfait.

a. Nous .... pendant ce spectacle. (rire)

b. Mamie .... souvent devant la télévision. (s'endormir)

c. Est-ce que tu .... aux jeux vidéo quand tu étais petit ? (jouer)

d. Le père et le fils .... toujours une partie de cartes le dimanche. (faire)

e. Vous .... en vacances quand je vous ai téléphoné. (être)

/2,5

> Comptez 0,25 point
> par phrase correcte.

8 **La liaison**

Notez les liaisons.

a. Vous êtes nouveaux dans le quartier ?

b. Ils ont trois enfants.

c. J'ai pris le train et le bus.

d. On a un ami en commun.

e. Ils ont un fils et deux filles.

/1,25

9 **Les consonnes finales**

Barrez les lettres finales non prononcées.

a. Il est brun et roux.

b. Il est grand et blond.

c. C'est un homme souriant et charmant.

d. C'est une femme gentille et aimante.

e. C'est un enfant calme et obéissant.

/1,25

Résultats : .... /20 points

② Enrichir son réseau

→ Point Récap', livre p. 52

LEXIQUE Les réseaux

① **Associez les expressions suivantes à leur définition.**

mettre en relation – entrer en relation avec – transmettre – perdre de vue

a. Arrêter de voir quelqu'un : ....

b. Faire que des personnes se rencontrent : ....

c. Se mettre en contact avec quelqu'un : ....

d. Faire passer une information d'une personne à une autre : ....

② **Indiquez à quel réseau font référence les différents dialogues.** 🔊 12

familial – professionnel – amical

Dialogue 1 : ....

Dialogue 2 : ....

Dialogue 3 : ....

> **Lexique**
> • familial : la famille, les parents, les frères et sœurs, les cousins...
> • professionnel : un(e) collègue, le directeur, la directrice...
> • amical : un ami, un copain, une connaissance, un voisin...

③ **Faites le point sur votre réseau amical ! Trouvez 4 contacts amicaux puis écrivez ce qui vous rapproche ou pourquoi ils pourraient être des personnes utiles dans votre réseau.**

Exemple : Raphaël : Avec lui, je peux parler « photo » et avoir des conseils en photographie.

....

....

....

....

GRAMMAIRE Conjugaison : *mettre, transmettre*

4 **Conjuguez les verbes *mettre* ou *transmettre* au présent.**

a. Mes parents .... 45 minutes pour venir chez moi en voiture. (mettre)
b. Tu .... la table s'il te plaît, le repas est prêt. (mettre)
c. Avec mes collègues, nous .... tous les courriers à notre secrétaire. (transmettre)
d. Je .... toujours les dossiers importants au-dessus des autres. (mettre)
e. Vous vous souvenez ? Le 11 novembre est un jour férié, ...
bien l'information aux étudiants absents. (transmettre)
f. Son amie .... toujours le même pantalon bleu avec le même pull noir.
(mettre)

> 💡 **Rappel grammaire**
> Les verbes en -*ttre* comme *mettre, transmettre* utilisent 2 radicaux : le premier *met*- avec je, tu, il ; le second *mett*- avec nous, vous, ils.

GRAMMAIRE Les pronoms directs

→ Point Récap', livre p. 53

5 **Dites si on peut transformer les mots soulignés avec les pronoms *le, la, l'* ou *les*.**

	Oui	Non
a. Est-ce que vous regardez <u>vos mails</u> tous les jours ?	☐	☐
b. Je vais à <u>un rendez-vous</u> samedi soir.	☐	☐
c. Ils se sont rencontrés dans <u>un café</u>.	☐	☐
d. Elle a invité <u>ses amis</u> à la soirée.	☐	☐
e. Tu as déjà acheté <u>le dernier Smartphone</u>.	☐	☐
f. Il a invité tous <u>ses contacts professionnels</u>.	☐	☐

6 **Cochez la proposition qui peut remplacer le pronom souligné.**

Exemple : Comment <u>l'</u>as-tu rencontrée ? ☒ ta petite amie
☐ son père
☐ le voisin

a. Je vais <u>les</u> inviter sur notre réseau professionnel.
☐ les bureaux
☐ mes collègues
☐ mon voisin

b. Je ne <u>le</u> fréquente plus depuis des années.
☐ Paul
☐ ma copine
☐ Valentine

c. Je <u>les</u> ai appelées tous les jours pour avoir des nouvelles.
☐ mes parents
☐ Lucile et François
☐ mes sœurs

d. Nous <u>nous</u> sommes connus sur un site de rencontre.
☐ les sites Internet
☐ ma mère et mon père
☐ mon fiancé et moi

e. C'est important de <u>le</u> développer pour rencontrer beaucoup de personnes.
☐ le réseau social
☐ les contacts professionnels
☐ ses connaissances

f. J'ai fait une fête après <u>l'</u>avoir acheté.
☐ la maison
☐ mon appartement
☐ ma voisine

7 Écoutez ces personnes. Reliez chaque objet à son propriétaire. 🔊 13

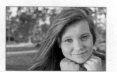
Personne 1

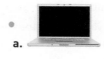
a.

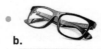
b.

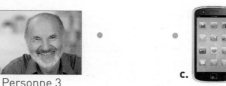
Personne 2

c.

Personne 3

> 💡 **Rappel grammaire**
> Les accords du passé composé
> • Avoir + participe passé : le
> participe s'accorde avec un pronom
> complément direct placé avant
> l'auxiliaire.
> *Ex.* : Il a vu sa mère. -> Il l'a vue.
> Ce matin, nous avons rencontré
> mes voisins. -> Nous les avons
> rencontrés ce matin.
> • Être + participe passé : le participe
> s'accorde avec le sujet.
> *Ex.* : Elle s'est lavée avec le savon
> de Marseille.
> Ils sont allés au cinéma à 19 h 30.

GRAMMAIRE Passé composé et imparfait : la différence   → Point Récap', livre p. 53

8 Passé composé ou imparfait ? Entourez le temps qui convient.

Avant, à la place de ce cinéma, il y (avait/a eu) un café Internet. On (pouvait/a pu) boire un café, discuter dans le coin salon et surfer sur Internet de l'autre côté. Et puis, les difficultés (commençaient/ont commencé) avec la concurrence et l'ouverture d'autres cafés Internet. Celui-là, (c'était/ça a été) vraiment le plus sympathique. (Je rencontrais/j'ai rencontré) plein de gens et je (me faisais/suis fait) des amis.

9 Cochez la solution qui correspond à la situation.

a. Quand le téléphone a sonné,
☐ il avait dormi.
☐ il dormait.
☐ il dort.

b. Quand le verre est tombé,
☐ le chat a eu peur.
☐ le chat avait peur.
☐ le chat a peur.

c. Quand nous sommes arrivés en classe,
☐ le professeur écrivait.
☐ le professeur a écrit.
☐ le professeur avait écrit.

d. Quand je suis entrée,
☐ mon chien me saute dessus !
☐ mon chien me sautait dessus !
☐ mon chien m'a sauté dessus !

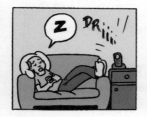
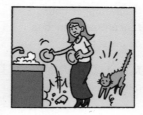
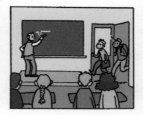
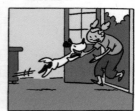

10 Écoutez le dialogue et mettez les éléments suivants par ordre 🔊 14
chronologique dans la frise.

Interview TV – Publicités – Création du site – Études à la fac – Recherche d'emploi

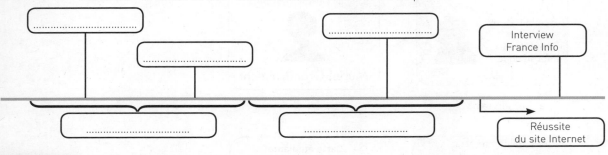

```
..................................                    ..................................        ┌──────────────┐
        │                                                    │                │  Interview   │
        │      ..................................            │                │  France Info │
        │              │                                     │                └──────────────┘
────────┴──────────────┴─────────────────────────────────────────────────────────────→
        ⎰‾‾‾‾‾‾‾‾‾‾‾‾‾‾‾‾‾‾‾‾⎱              ⎰‾‾‾‾‾‾‾‾‾‾‾‾‾‾‾‾‾‾‾‾⎱            ┌──────────────┐
        │  ..................  │            │  ..................  │            │  Réussite    │
        └─────────────────────┘            └─────────────────────┘            │ du site Internet │
                                                                              └──────────────┘
```

LEXIQUE Les études et le travail

→ Point Récap', livre p. 52

11 Complétez le texte avec les mots qui conviennent.

diplômes – études – atouts – emploi – CV - Master

Bonjour,

Je m'appelle Adèle Goulin, j'ai 26 ans et je viens de finir mes .... de commerce.

J'ai obtenu mon .... en marketing et je recherche un .... à l'international.

J'ai de nombreux .... pour travailler à l'étranger puisque je m'adapte très rapidement et que je parle

4 langues étrangères (j'ai des .... en anglais et en allemand).

Je vous envoie également mon ....

Cordialement,

Adèle Goulin.

12 Quelles études doit-on faire pour exercer ce métier ?
Complétez les phrases avec les mots suivants.

~~de littérature~~ – de médecine – de sport – de cuisine – d'informatique – de sciences

Exemple :
Pour être

il faut faire des études de littérature.

a. Pour être

il faut faire des études ....

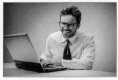

b. Pour être

il faut faire des études ....

c. Pour être

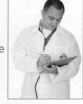

il faut faire des études ....

d. Pour être

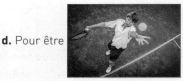

il faut faire des études ....

e. Pour être

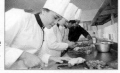

il faut faire des études ....

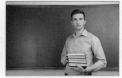

13 Écoutez ces personnes. Dites à qui appartiennent ces cartes. 🔊 15

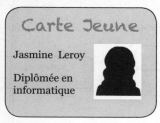

a. Personne n° ....

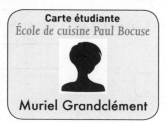

b. Personne n° ....

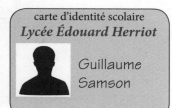

c. Personne n° ....

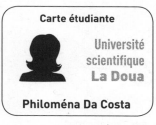

d. Personne n° ....

LEXIQUE Les compétences

→ Point Récap', livre p. 52

14 Complétez le dialogue avec les mots suivants.

expérience – atouts – compétences - savoir-faire - qualités

— Alors, comment s'est passé ton entretien ?

— Oh là là, j'ai peur de ne pas avoir le travail... Je n'ai pas toutes les .... qu'ils recherchent.

— Tu as quand même trois ans d'........................ et de nombreuses .... personnelles !

— C'est vrai, mais je doute toujours de mon ....

— Et tu as parlé de tous tes .... ? Tu parles plusieurs langues, tu es très forte en informatique et tu as l'habitude de voyager.

— Oui, ça je n'ai pas oublié !

15 Reliez chaque métier à sa compétence.

1. professeur de sport   •   • **a.** Maîtriser plusieurs logiciels informatiques.

2. pompier   •   • **b.** Connaître et pratiquer de nombreux sports.

3. peintre   •   • **c.** Être souriant et savoir conseiller.

4. informaticien   •   • **d.** Être courageux, ne pas avoir peur du feu.

5. vendeur   •   • **e.** Avoir du talent pour le dessin.

16 **Quels sont les atouts et les compétences d'Hervé le mécanicien ?
Complétez avec les expressions suivantes.**

Participation à des rallyes automobile

Changer une roue

Meilleur ouvrier de France 2009

Réparer des voitures

a. Atouts

....

....

b. Compétences

....

....

> **Lexique**
> • Atout : élément bonus qui peut favoriser la réussite.
> • Compétence : capacité reconnue pour faire quelque chose grâce aux connaissances ou à l'expérience.

GRAMMAIRE Le conseil

→ Point Récap', livre p. 53

17 **Dites si les phrases suivantes expriment un conseil.**

	Oui	Non
a. Marion et Julien, si vous voulez regarder la télé, vous devriez vite finir vos devoirs.	☐	☐
b. Alexandre, range ta chambre, mets tes habits dans la salle de bain et fais ton lit !	☐	☐
c. Tu pourrais me remplacer ce soir ?	☐	☐
d. Nous devrions faire du sport tous les dimanches.	☐	☐
e. On peut aller au cinéma ce soir ?	☐	☐
f. Mets un peu plus de sucre, ça sera meilleur.	☐	☐

18 **Transformez les éléments soulignés pour donner des conseils.**

Exemple : Vous savez, la vie est courte, (en profiter)

Vous savez, la vie est courte, profitez-en.

               ou ..., vous devez en profiter.

               ou ..., vous devriez en profiter.

a. Vous aimez tellement faire la cuisine, (avoir votre restaurant).

Vous aimez tellement faire la cuisine, ...

b. Tu vas trouver un poste intéressant, (ne pas être inquiet).

Tu vas trouver un poste intéressant, ...

c. Nos vacances ne vont pas durer, (profiter du soleil).

Nos vacances ne vont pas durer, ...

d. Ton ordinateur est fragile, (en prendre soin).

Ton ordinateur est fragile, ...

e. Pour avoir un bon travail, (finir tes études).

Pour avoir un bon travail, ...

19 Pour chaque phrase, indiquez la valeur du verbe souligné.

a. Pour réussir tes examens, tu <u>devrais</u> réviser un peu plus.
☐ surprise
☐ conseil
☐ ordre

b. On <u>pourrait</u> avoir notre entreprise dans quelques années, c'est incroyable !
☐ souhait
☐ conseil
☐ surprise

c. <u>Fais</u> plus attention quand tu conduis !
☐ souhait
☐ conseil
☐ ordre

d. Tu <u>dois</u> mettre en avant tes compétences et tes atouts pour trouver du travail.
☐ ordre
☐ conseil
☐ reproche

e. Ne vous <u>inquiétez</u> pas de trouver du travail, vous êtes encore jeunes.
☐ ordre
☐ conseil
☐ souhait

f. <u>Passez</u> de bonnes fêtes de Noël !
☐ souhait
☐ conseil
☐ ordre

GRAMMAIRE Les indicateurs de temps

→ Point Récap', livre p. 53

20 Complétez le texte avec les mots suivants.

il y a – depuis – pendant

a. J'ai rencontré Mathieu .... 2 jours et je lui ai raconté ma vie .... la fin du Lycée.

b. .... 10 ans, il travaille dans un cinéma.

c. Il a d'abord commencé comme caissier .... 2 ans puis il a évolué.

d. ....quelques mois, il est devenu responsable et tout se passe très bien.

21 Reliez chaque question à sa réponse.

1. Quand êtes-vous allés en Chine ?　　　　　●

2. Est-ce que le film a déjà commencé ?　　　●

3. Quand allez-vous déménager ?　　　　　　●

4. Est-ce que les enfants ont dormi longtemps ? ●

● **a.** Dans 3 mois.

● **b.** Oui, pendant 2 heures.

● **c.** En 2003.

● **d.** Oui, depuis 5 minutes.

22 Écoutez l'entretien de Jean-Philippe puis complétez le résumé du recruteur. 🔊 16
Vous devez utiliser certaines années plusieurs fois.

2002　–　2005　–　2011　–　2013

« Ce Jean-Philippe Sève a un profil plutôt intéressant : il a commencé à travailler à Areva en ....
Il y a à peu près 12 ans, il a eu son premier stage : en .... Il a donc déjà une importante expérience professionnelle. Depuis .... , il est dans la même société, à Paris, même s'il a pas mal bougé :
en .... , il était à Lyon. J'ai lu aussi qu'il avait fait ses études à Toulouse. Et puis, il connaît le poste :
il est assistant de direction depuis .... »

PHONÉTIQUE Le *e* muet

23 Barrez les « e » qui ne sont pas nécessairement prononcés.

a. Votre fils fait partie de l'équipe de tennis.

b. Il fait partie de votre famille.

c. J'ai pris une semaine de vacances.

d. Bienvenue à tous les nouveaux voisins !

e. Il est sûrement en retard !

f. Votre amie est repartie.

g. Votre copain est arrivé en premier.

PHONÉTIQUE L'enchaînement vocalique

24 Notez les enchaînements vocaliques.

a. Une belle création.

b. Un réseau important.

c. Un voyage en train et en car.

d. Un enfant adorable.

e. Un garçon adroit.

f. J'aime le chocolat et le lait.

g. J'adore le thé et le café.

PRODUCTION ORALE Demander / donner des conseils

25 Vous voulez préparer une fête d'anniversaire pour votre frère. Vous demandez des conseils à votre mère. Écoutez et complétez le dialogue que vous avez avec elle.

PRODUCTION ÉCRITE Écrire une lettre de présentation

26 Vous avez trouvé cette annonce sur un site Internet. Vous répondez à cette offre d'emploi en écrivant une lettre de présentation.

....

....

....

....

....

....

....

....

....

....

Recherche :

testeur de voyage pour nouveau guide.

☞ Motivé, dynamique et pouvant écrire des comptes-rendus.

☞ Disponible à partir du mois de mars.

Envoyez votre lettre de présentation à
contact@confortetaventure.fr

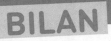

BILAN

1 **Les réseaux**

Complétez les phrases avec les mots suivants.

Comptez 0,5 point
par bonne réponse.

amis – réseau – familial – professeurs – collègues

Aujourd'hui, il est important d'avoir un .... Qu'il soit familial, amical ou professionnel,
il faut l'entretenir et le cultiver.
À l'université, les .... ont des contacts pour trouver des stages.
Avec les connaissances des réseaux sociaux ou les .... de la vie quotidienne,
on peut toujours découvrir des possibilités intéressantes.
Les .... permettent d'enrichir le réseau professionnel : cela peut servir si on veut un jour changer de travail !
Il ne faut pas oublier son cercle .... car les parents, les frères et sœurs et même les cousins éloignés
peuvent nous permettre de trouver un appartement ou un travail.   **/2,5**

2 **Les études, le travail**

Numérotez dans l'ordre le parcours possible d'un jeune étudiant.

☐ stage / ☐ université / ☐ lycée / ☐ emploi / ☐ baccalauréat / ☐ diplôme de Master   **/3**

3 **Les compétences**

Complétez le texte à l'aide des mots suivants.

atout – savoir-faire – compétences – ne maîtrise pas

Mathilde est parfaite pour ce travail. Comme elle était en stage dans l'entreprise, elle a déjà acquis un certain
.... : elle connaît le personnel et elle sait utiliser les différents logiciels. Par contre, elle ....
les nouveaux programmes mais elle apprend vite et c'est un .... important. Avec toutes ses ....,
nous devons l'embaucher !   **/2**

4 **Les pronoms directs**

Complétez les phrases avec le pronom personnel qui convient.

les – l' – les – la – l' – le
Exemple :
Je prépare <u>le dîner de fin d'année</u> avec des collègues. Je <u>le</u> prépare avec des amis.
a. Je préfère ne pas voir <u>ma directrice</u>.
Je préfère ne pas .... voir.
b. Mes amis Ethel et Loïc aiment beaucoup <u>les festivals de musique</u>.
Mes amis Ethel et Loïc .... aiment beaucoup.
c. J'ai données <u>mes adresses utiles</u> à mon petit frère.
Je .... ai données à mon petit frère.
d. Est-ce que vous avez envoyé <u>votre candidature</u> ?
Est-ce que vous .... avez envoyée ?
e. Est-ce que tu as <u>leur numéro</u> de téléphone ?
Est-ce que tu .... as ?   **/2,5**

5 Passé composé et imparfait : la différence

Associez les débuts de phrase avec leur fin.

1. Avant la crise, ●   ● **a.** que Patrick est parti en pause.

2. Au lycée, ●   ● **b.** j'ai travaillé pour 4 entreprises différentes.

3. Ça fait 20 minutes ●   ● **c.** les conditions de travail étaient meilleures.

4. En 18 ans, ●   ● **d.** on faisait un grand repas de famille.

5. Tous les dimanches, ● ● **e.** j'ai rencontré ma meilleure amie.

/2,5

6 Le conseil

Soulignez la forme qui exprime le conseil.

a. Tu (devrais inviter/inviterais) tes amis plus souvent.

b. Tu n'as pas appelé ta mère cette semaine ; tu (fais /dois faire) plus d'efforts.

c. Pour avoir plus d'énergie, (bois/tu boiras) plus de jus d'orange.

d. S'il pleut, vous (pourriez/pouviez) jouer aux cartes.

e. Marie-Claire (a pris/devrait prendre) quelques jours de vacances.

/2,5

7 Les indicateurs de temps

Numérotez les phrases pour les mettre dans l'ordre chronologique.

☐ **a.** Il y a 2 semaines, le directeur de la chaîne m'a convoquée pour me proposer un meilleur poste.

☐ **b.** Dans 3 mois, je passe directrice de l'information : mon parcours professionnel est une réussite.

☐ **c.** En 2008, j'ai commencé un stage de journalisme sur la chaîne France 24.

☐ **d.** Depuis 4 ans, j'ai beaucoup évolué au sein de la chaîne. Je suis appréciée dans mon travail.

☐ **e.** Pendant 1 an, j'ai travaillé nuit et jour et j'ai finalement été embauchée.

/2,5

| Comptez 0,25 point par phrase correcte et 0,5 point pour la phrase b. | Comptez 0,25 point par bonne réponse. |

8 Le *e* muet

Barrez les « e » qui ne sont pas nécessairement prononcés.

a. — Tu as téléphoné au médecin ?

b. — Oui, mais il n'y a pas de place pour la semaine.

c. — Et la semaine d'après, c'est possible ?

d. — Oui, j'ai pris le rendez-vous. Je l'ai noté sur ce papier.

/1,25

9 L'enchaînement vocalique

Notez les enchaînements vocaliques.

a. J'ai lu un journal.

b. J'ai vu une information intéressante.

c. J'ai obtenu des résultats approximatifs.

/1,25

Résultats : .... /20 points

③ Vivre l'information

→ Point Récap', livre p. 70

LEXIQUE L'actualité et la presse sur Internet

① **Observez cette page Internet et associez le mot correspondant à chaque partie.**

une journaliste – un article – un titre – des mots-clés – des rubriques

FRANCE - MONDE

| À la une | Politique | Monde | Société | Économie | Culture | Sport | Sciences |

→ a. ....

1,5 million d'enfants vivent dans une famille recomposée
Publié le 22.10.2013 à 23h12

→ b. ....

La famille évolue, c'est ce qui ressort de l'enquête de l'Insee (Institut National de la Statistique et des Etudes Économiques). En effet, 1,5 million d'enfants de moins de 18 ans vivent dans 720 000 familles recomposées, c'est-à-dire dans une famille où les enfants ne sont pas tous ceux du couple actuel.

→ c. ....

↪ suite de l'article

Anne Leclerc

→ d. ....

famillle – *enfants* – *parents*

→ e. ....

② **Quel mot ne convient pas au verbe proposé ? Barrez l'intrus.**

a. Lire : un magazine – un article – la radio
b. Feuilleter : un journal – l'actualité – un magazine
c. Regarder : la radio – le journal télévisé - une vidéo
d. Cliquer sur : un mot-clé – un titre – un lecteur
e. S'abonner à : un magazine – un journal électronique – un mot-clé
f. Télécharger: un auditeur – un article – une vidéo

> **Lexique**
> Le mot *média*(s) vient du latin. En latin, *media* est le pluriel de *médium* qui signifie *moyen*. Il désigne en français l'ensemble des moyens d'information : la presse, la radio, la télévision, Internet...

③ **Écoutez ces 3 personnes et complétez le tableau.** 🔊 18

	Type de médias utilisés	Pourquoi ?
Anaïs		
Éric		
Tarik		

GRAMMAIRE Conjugaison : *suivre*

4 **Complétez avec le verbe *suivre* conjugué au présent.**

a. Est-ce que tu .... l'actualité ?

b. Les enfants .... les conseils de leurs parents.

c. Nous .... les informations à la télé.

d. Je .... un cours d'histoire de l'art, c'est vraiment intéressant !

e. Combien de cours est-ce que vous .... cette année ?

f. Il .... le guide de randonnée.

💡 **Rappel grammaire**
Le verbe *suivre* est un verbe du 3e groupe. Il utilise deux radicaux *sui-* au singulier et *suiv-* au pluriel. Les terminaisons du présent sont : -s / -s / -t / -ons / -ez / -ent.

GRAMMAIRE La question inversée

→ Point Récap', livre p. 71

5 **Choisissez « -t- » ou « - » pour compléter ces questions.**

a. Quelle radio écoute (-t- / -) il ?

b. Pour quel journal écrit (-t- / -) elle des articles ?

c. Comment les jeunes s'informent (-t- / -) ils ?

d. Où entend (-t- / -) il ces informations ?

e. Pourquoi lit (-t- / -) on moins en France que dans d'autres pays d'Europe ?

f. Quelles rubriques consulte (-t- / -) on le plus souvent ?

6 **Mettez les mots dans l'ordre pour reconstituer les phrases. N'oubliez pas le tiret.**

a. le / journal / - / vous / Lisez / ?
....

b. vous / Êtes / à / - / un / abonné / magazine / ?
....

c. sites / consultez / - / régulièrement / Quels / vous / ?
....

d. radio / Quand / écoutez / la / - / vous / ?
....

e. aux / confiance / - / Faites / vous / médias / ?
....

7 Voici les résultats d'un sondage sur les jeunes et les moyens d'information. Retrouvez les questions. Utilisez la forme inversée de la question.

a. ....
15 % ■
Moins de 18 ans
75 % ■
Entre 18 et 25 ans
10 % ■
Plus de 25 ans

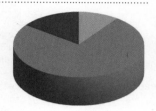

b. ....
45 % ■ Internet
25 % ■ Télévision
20 % ■ Presse écrite
10 % ■ Radio

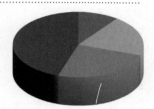

c. ....
32 % ■ Société
25 % ■ International
20 % ■ Sports
11 % ■ Culture et loisirs
8 % ■ Politique
4 % ■ économie

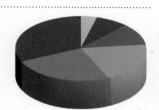

d. ....
20 % ■
Plus de 10 euros par mois
39 % ■
Moins de 10 euros par mois
41 % ■
Je m'informe gratuitement

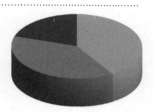

GRAMMAIRE La nominalisation

→ Point Récap', livre p. 71

8 Ces noms sont-ils masculins ou féminins ? Entourez « un » ou « une ».
a. un / une signature
b. un / une passage
c. un / une destruction
d. un / une changement
e. un / une baisse
f. un / une venue
g. un / une développement

9 Associez un verbe aux noms proposés.
vendre – venir – produire – prendre – arriver – augmenter

a. une venue → ....
b. une production → ....
c. une arrivée → ....
d. une prise → ....
e. une augmentation → ....
f. une vente → ....

10 Écoutez les informations. Complétez ces titres avec un nom. 🔊 **19**
a. France : .... de l'usine Peugeot-Citroën d'Aulnay-sous-Bois.
b. Politique : .... d'un accord sur les forêts françaises entre le gouvernement et les associations.
c. International : .... du Président à Madagascar.
d. Économie : .... du chômage en septembre. Le nombre de chômeurs a atteint 3,2 millions.

LEXIQUE Les nouveaux médias

→ Point Récap', livre p. 70

11 Associez les mots aux images et symboles correspondant.

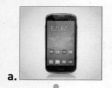 **a.** 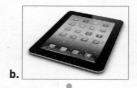 **b.** 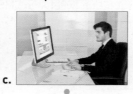 **c.** 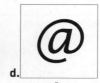 **d.** **e.**

une tablette · un smartphone · un utilisateur · un hashtag · une arobase

12 Complétez avec les mots suivants.

caractères – profil – utilisateurs – hashtags – réseau social – messages

Comment écrire un tweet ?

Twitter est un .... qui compte près d'un demi-milliard d'.. dans le monde et qui permet d'envoyer des .... (appelés tweets) à une liste de contacts personnels. Vous voulez écrire des tweets ? Voici comment faire :
Avant d'écrire un tweet, vous devez vous inscrire et créer votre
....
Vous pouvez ensuite écrire votre message qui ne doit pas faire plus de 140 ....
Si vous voulez qu'un maximum de personnes lisent votre message, vous pouvez inclure des ...., c'est-à-dire des mots-clés signalés par un symbole #.
Enfin, vous pouvez envoyer votre message en cliquant sur « Update ».

Culture

De nombreux mots anglais liés aux nouveaux médias sont francisés, c'est-à-dire qu'ils ont été traduits en français. Voici quelques exemples :
le Web : la Toile
un e-mail : un courriel
un hashtag : un mot dièse

13 Utilisez-vous les réseaux sociaux ? Écoutez ces 3 personnes et dites si les affirmations suivantes sont vraies ou fausses. 🔊 **20**

	vrai	faux
a. Alexis utilise les réseaux sociaux.	☐	☐
b. Alexis trouve qu'il y a trop de publicités sur Internet.	☐	☐
c. Alexis utilise Facebook pour rester en contact avec sa famille et ses amis.	☐	☐
d. Véronique utilise beaucoup Facebook.	☐	☐
e. Véronique ne veut pas mettre d'informations privées sur Internet.	☐	☐
f. Véronique préfère discuter au téléphone avec ses amis.	☐	☐
g. Véronique a retrouvé une amie d'enfance sur Internet.	☐	☐
h. Samia aime bien les réseaux sociaux professionnels.	☐	☐
i. Samia pense qu'on ne peut pas trouver du travail sur les réseaux sociaux.	☐	☐

14 Identifiez ces documents avec les mots suivants.

une petite annonce – un message électronique – un tweet – un SMS

de	camille@hotmail.com
à	marguerite@voila.fr
cc	
objet	Photos
Fichiers joints	pict120.jpg , pict124.jpg , pict129.jpg

Coucou Marguerite !
J'espère que tu vas bien.
Comme promis, voici quelques photos des enfants.
Bises
Camille

a. ....

LIVRES À VENDRE
Très bon état – 3 euros pièce
Le Petit Prince, Saint-Exupéry
L'Étranger, Camus
Le Petit Nicolas, Sempé et Goscinny
Tél : 06 69 68 ** **

b. ....

Messages	Nina	Modifier

1 janv. 2015 10 : 04
Bonne et heureuse année !

1 janv. 2015 10 : 04
Bonne année à toi ! Bisous

c. ....

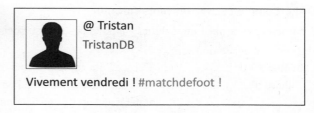

@ Tristan
TristanDB

Vivement vendredi ! #matchdefoot !

d. ....

15 Reconstituez les verbes associés au mot « message ».
Retrouvez ensuite l'expression cachée.

a. ÉRERIC ☐☐☐☐☐☐☐
　　　　　　　2

b. ÉCUTROE ☐☐☐☐☐☐☐
　　　　　　　　3　　　11

c. DÉSORPE ☐☐☐☐☐☐☐
　　　　　　　4　2

d. RÉIRGDE ☐☐☐☐☐☐☐
　　　　　　　5

e. MECALR ☐☐☐☐☐☐
　　　　　　　　6

f. ERVOENY ☐☐☐☐☐☐☐
　　　　　9

g. VEERICOR ☐☐☐☐☐☐☐☐
　　　　　　7

h. VUIROR ☐☐☐☐☐☐
　　　　8　10

Expression cachée :

☐☐☐☐　☐☐　☐☐☐☐☐
1　2　3　4　5　6　7　8　9　10　11

16 Observez ces dessins et remettez les phrases dans l'ordre pour reconstituer l'histoire.

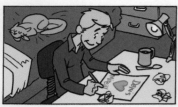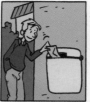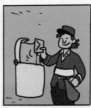
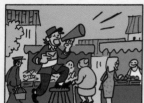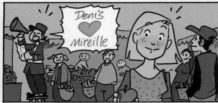

☐ **a.** Le samedi suivant, au marché, Hyppolite clame le message de Denis.

☐ **b.** Hyppolite, le crieur public, prend ce message.

☐ **c.** Un jour, Denis décide d'écrire un message à Mireille pour lui dire qu'il l'aime.

☐ **d.** Mireille, qui a l'habitude de faire ses courses au marché, rougit en entendant ce message d'amour.

☐ **e.** Il dépose son message dans la boîte aux lettres du crieur public.

GRAMMAIRE Les pronoms indirects

→ Point Récap', livre p. 71

17 Reliez les questions aux réponses.

1. Tu écris souvent à tes amis ? •
2. Tu as envoyé un message à ta mère ? •
3. Tu as parlé à ton voisin ? •
4. Tu as envoyé une invitation à Céline et Anthony ? •
5. Tu as montré les photos à Simon ? •

• **a.** Oui, je leur envoie des e-mails une fois par semaine.
• **b.** Oui, je leur ai proposé de venir.
• **c.** Oui, il m'a dit qu'elles étaient très réussies.
• **d.** Non, elle ne lit jamais ses messages. Je préfère lui téléphoner.
• **e.** Non, je lui ai seulement dit « bonjour ».

18 Entourez le pronom qui convient.

a. Je vais acheter un magazine et je vais (le – la – lui) feuilleter en attendant le train.

b. J'envoie un message à Jean-François pour (le – la – lui) demander s'il est libre ce soir.

c. Elle aime prendre des photos et (la – les – leur) partager avec ses amis sur Internet.

d. Pour mes 20 ans, mes parents (m' – l' – les) ont offert une tablette.

e. Ils n'ont pas répondu au téléphone alors je (l' – les – leur) ai laissé un message.

f. Tu as des nouvelles de Fred et Marie ? Ils (t' – l' - les) ont téléphoné ?

19 Pour chaque image, complétez la définition avec un pronom direct ou indirect.

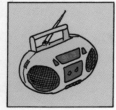 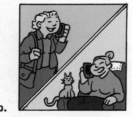 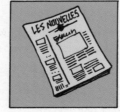 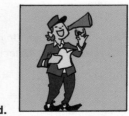

a.
→ On ..... écoute pour suivre l'actualité. (pronom direct)

b.
→ Il .... sert à téléphoner, envoyer des SMS ou prendre des photos. (pronom indirect)

c.
→ On .... lit pour s'informer. (pronom direct)

d.
→ On .... dépose des messages et il .... clame dans la rue. (pronom indirect – pronom direct)

→ Point Récap', livre p. 71

GRAMMAIRE Le discours direct et indirect

20 Cochez la phrase indirecte qui rapporte ces paroles.

a. Il dit : « Nous n'avons plus de connexion Internet chez nous. »
☐ Il dit que nous n'avons plus de connexion Internet chez nous.
☐ Il dit qu'ils n'ont plus de connexion Internet chez eux.

b. Il demande : « Est-ce que je peux parler à un technicien ? »
☐ Il demande s'il peut parler à un technicien.
☐ Il dit qu'il peut parler à un technicien.

c. Il demande : « Savez-vous d'où vient le problème ? »
☐ Il demande si on sait d'où vient le problème.
☐ Il demande s'il y a un problème.

d. Il demande : « Quand est-ce que la connexion va fonctionner ? »
☐ Il demande si la connexion va fonctionner.
☐ Il demande quand la connexion va fonctionner.

e. Il dit : « Si vous ne trouvez pas de solution rapidement, nous allons changer d'opérateur. »
☐ Il dit que si on ne trouve pas de solution rapidement, ils vont changer d'opérateur.
☐ Il demande si on va trouver une solution rapidement et il dit qu'ils vont changer d'opérateur.

21 Rapportez ce « chat » au discours indirect.

> Moi : Salut ! Ça fait longtemps qu'on ne s'est pas vus ! Tu es où maintenant ?
>
> Antoine : J'habite à Montréal avec ma copine Margot.
>
> Moi : Tu vas rester combien de temps ?
>
> Antoine : Je ne sais pas. Et toi, tu es toujours à Montpellier ? Je vais rentrer en France à Noël. Tu seras chez toi ?
>
> Moi : J'habite toujours dans mon petit appart. Tu peux m'appeler quand tu veux !

Lexique

Un « chat » ou « tchat » est une discussion entre deux ou plusieurs personnes sur Internet.

Je dis à Antoine que ça fait longtemps qu'on ne s'est pas vus et je lui demande ....

Il me dit ....

Je lui demande ....

Il répond .... et il me demande ....

Il ajoute .... et il me demande ....

Je lui réponds .... et je lui dis ....

22 Après l'opération *Un jour de tweets à Paris*, plusieurs personnes ont donné leurs impressions. Associez chaque personne avec ce qu'elle dit. 🔊 **21**

a. Elle dit que les tweets étaient toujours originaux. → ....

b. Elle se demande où les gens trouvent cette inspiration. → ....

c. Elle dit qu'elle a passé une super journée. → ....

d. Elle dit qu'elle n'a pas eu l'information. → ....

e. Elle dit qu'elle a écrit un tweet. → ....

f. Elle se demande si cette opération aura lieu en 2014. → ....

PHONÉTIQUE les sons [u], [o] et [ɔ]

23 Complétez avec les mots suivants.

rome – alcool – peau – pôle – autre – ôter – rose – photo – doux – goûter – maximum – album – mode – code

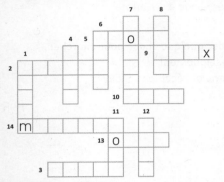

Comment ça s'écrit ?

[u] : ....   [o] : ....   [ɔ] : ....

PHONÉTIQUE Les sons [y] et [ɥ]

24 Tracez le chemin en passant par les mots qui contiennent le son [ɥ].

Départ				
nuit	tuer	fumer	curer	obtenu
nu	depuis	cure	lutter	étudiant
tu	lui	assure	parue	bienvenue
sur	suis	futile	sujet	études
lu	nuage	lueur	fuite	cuite

Arrivée

Comment ça s'écrit ?

[y] : ....

[ɥ] : ....

PRODUCTION ORALE 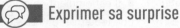 Exprimer sa surprise

25 Avec un ami, vous lisez ces titres de journaux étonnants.
Vous exprimez votre surprise.

Technologie

Bientôt une tablette tactile aussi fine qu'une feuille de papier.

Environnement
LES MERS ET LES OCÉANS COMPTENT 1 MILLION D'ESPÈCES ANIMALES DIFFÉRENTES.

---

insolite

Les légumes deviennent plus gros et poussent plus vite quand ils « écoutent » de la musique.

PRODUCTION ÉCRITE Écrire un tweet littéraire

26 Vous participez à l'opération « Un jour de tweets... dans la classe ».

Choisissez votre style : poétique, drôle, réaliste...

Trouvez de quoi vous allez parler : les autres étudiants, la salle de classe, le professeur, vos sentiments... et écrivez un tweet en 140 caractères maximum.

....

....

BILAN

1 L'actualité et la presse sur Internet

Complétez cette grille de mots croisés.

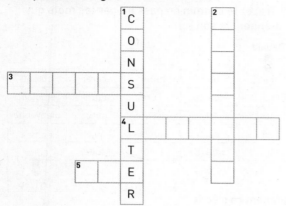

Comptez 0,5 point par bonne réponse.

Horizontal

3. Moyens d'information

4. Personne qui lit

5. Première page d'un journal

Vertical

1. Regarder quelque chose pour chercher un renseignement

2. Personne qui écoute la radio

/2,5

2 Les nouveaux médias

Entourez le mot qui convient.

a. J'utilise (mon smartphone – mon lien – mon profil) pour prendre des photos et téléphoner.

b. Elle a trouvé du travail grâce à (un hashtag – un utilisateur – un réseau social) professionnel.

c. Je suis assez curieux et je regarde souvent (les profils – les tablettes – les hashtags) de mes amis.

d. Il est étudiant en art et il a acheté (un lien – une tablette – un réseau social) pour pouvoir montrer facilement ses œuvres.

e. Ce site a un problème, je n'arrive pas à cliquer sur (les tablettes – les liens – les smartphones).

/2,5

3 Les messages

Retrouvez les mots ou expressions correspondant à ces définitions.

a. Si je veux vendre un objet, j'écris une ....

b. Je poste mes lettres dans une ....

c. Je suis allé voir un film génial et je voudrais le conseiller à tout le monde, j'écris un ....

d. Je suis très en colère contre quelque chose et je voudrais protester, j'écris un ....

/2

4 La question inversée

Transformez ces questions familières en questions soutenues. Utilisez la question inversée.

Exemple : Il est français ? → Est-il français ?

a. Il s'appelle comment ? → ....

b. Il est étudiant ? → ....

c. Il habite où ? → ....

d. Il a un numéro de téléphone ? → ....

e. Il lit le journal tous les jours ? → ....

f. Il s'informe comment ? → ....

/2,5

5 La nominalisation

Transformez ces phrases en titres.

Exemple : Le nombre de chômeurs a baissé → Baisse du nombre de chômeurs.

a. Le Prince William s'est marié avec Kate Middleton.

→ .... du Prince William avec Kate Middleton

b. Le Musée d'Orsay prépare l'exposition Vincent Van Gogh.

→ .... de l'exposition au Musée d'Orsay.

c. Les restaurants « Chez Tonton » vont développer leur activité en Italie ?

→ .... des restaurants « Chez Tonton » en Italie.

d. Les agriculteurs protestent dans plusieurs pays d'Europe.

→ .... des agriculteurs dans plusieurs pays d'Europe.

e. Un magasin Lovéa va ouvrir à Angers.

→ .... d'un magasin Lovéa à Angers.

/2,5

6 Les pronoms directs

Entourez le pronom qui convient

a. J'ai lu cet article et je (lui- l'- le) ai trouvé très intéressant.

b. Ça fait longtemps que je n'ai pas vu Anne-Lise. Je vais (la – lui – leur) téléphoner.

c. J'ai croisé Alex et Laetitia et je (lui – les – leur) ai dit « bonjour ».

d. De nombreux passants se sont arrêtés pour écouter Hyppolite et (lui – l' – le) ont applaudi.

e. J'ai acheté un smartphone mais je voudrais (le – lui – les) revendre.

/2,5

7 Le discours direct et indirect

À Paris, un journaliste interroge un passant. Écoutez puis choisissez la phrase indirecte qui rapporte ses paroles. 🔊 22

a. ☐ Il demande au monsieur quelle est votre profession.   ☐ Il demande au monsieur quelle est sa profession.

b. ☐ Il lui demande il a quel âge.   ☐ Il lui demande quel âge il a.

c. ☐ Il lui demande s'il est parisien.   ☐ Il lui demande est-ce qu'il est parisien.

d. ☐ Il lui demande si vous avez participé à l'opération *Un jour de tweets à Paris*.   ☐ Il lui demande s'il a participé à l'opération *Un jour de tweets à Paris*.

e. ☐ Il demande si 10 000 tweets ont été envoyés ce jour-là.   ☐ Il dit que 10 000 tweets ont été envoyés ce jour-là.

f. ☐ Il demande s'il a pensé à cette journée.   ☐ Il demande ce qu'il a pensé de cette journée.

/3

> Comptez 0,25 point par phrase correcte.

8 Les sons [u], [o] et [ɔ]

Soulignez les mots qui contiennent [u], [o] et [ɔ] avec des couleurs différentes.

a. C'est un bel album.

b. Ce sont de belles photos.

c. Où est passé Luc ?

d. Tu veux une pomme ?

e. Regarde ce tableau.

/1,25

9 Les sons [y] et [ɥ]

Soulignez les mots qui contiennent [y] et [ɥ] avec des couleurs différentes.

a. J'y vais depuis longtemps.

b. Je ne lui parle pas.

c. Je suis fatigué.

d. Bienvenue à tous !

e. J'ai lu un livre.

/1,25

Résultats : .... /20 points

④ Interroger le passé

→ Point Récap', livre p. 88

LEXIQUE Les souvenirs

❶ Complétez les phrases avec les mots suivants.

enfance – se souvient – souvenirs – nostalgique – nous rappelons

a. Marc .... de son premier travail.

b. Léa est .... du passé.

c. Lucien est toujours en contact avec son ami d'... .

d. Nous .... le nom de nos camarades.

e. Martin a évoqué ses .... de famille.

❷ Reliez la phrase à l'image qui évoque un souvenir.

a. Je me souviens encore du rire de mon grand-père quand nous avons sorti le poisson de l'eau.

b. Je ne sais pas ce qu'ils sont devenus mais ils étaient mes meilleurs copains.

c. Je voudrais acheter cette maison où j'ai vécu pendant 18 ans !

d. Louis a retrouvé au grenier une boîte pleine de souvenirs d'enfance.

e. Quand j'étais petit, mes parents nous emmenaient en vacances en Bretagne.

1.

☐

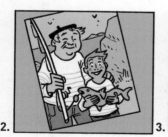

2.

☐

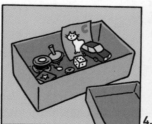

3.

☐

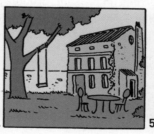

4.

☐

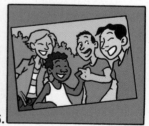

5.

☐

❸ Écoutez Nicolas et remettez les paragraphes dans l'ordre. 🔊 23

☐ **a.** C'est à 16 ans que Nicolas travaille pour la première fois.

☐ **b.** Nicolas se souvient de sa mère qui travaillait beaucoup.

☐ **c.** Nicolas a appris à faire du vélo à la campagne.

☐ **d.** Nicolas a retrouvé un ami d'enfance.

☐ **e.** Nicolas se rappelle qu'il vivait avec ses parents dans une maison à Lyon.

GRAMMAIRE Conjugaison : *vivre, valoir*

4 Complétez le tableau en conjuguant les verbes *vivre* et *valoir* au présent.

	vivre	valoir
je	vis	
tu		
il /elle /on		
nous		valons
vous		
ils /elles		

> **Rappel grammaire**
> *Vivre* et *valoir* sont des verbes du 3ᵉ groupe qui utilisent deux radicaux au présent de l'indicatif.
> Pour *vivre*, le radical des trois personnes du singulier est *vi-*, le radical des trois personnes du pluriel est *viv-*.
> Les terminaisons sont : -s / -s / -t / -ons / -ez / -ent
> Pour *valoir*, le radical des trois personnes du singulier est *vau-*, le radical des trois personnes du pluriel est *val-*.
> Attention : à la première et à la deuxième personne du singulier, il y a non pas un *s* mais un *x*.

GRAMMAIRE Le comparatif et le superlatif

→ Point Récap', livre p. 89

5 Complétez avec le comparatif qui convient dans les phrases selon les signes.

plus – moins – aussi – mieux – pire – meilleur

a. Linda pense qu'à son époque la vie était + ... agréable.

b. Ton sac est - .... vintage que le mien.

c. Malheureusement pour ma sœur, mon neveu dort ++ .... le jour que la nuit.

d. Annie se rappelle que le chocolat de sa grand-mère était ++ .... que celui de ce restaurant.

6 Observez le document. Comparez ces deux voitures et complétez les phrases avec les adjectifs suivants.

grand – écologique – confortable – chère – neuf

Voiture Space	Voiture Touingo
Année : 2006 Prix : 8 000 € Caractéristique : 6 portes Point faible : écologie	Année : 2014 Prix : 13 000 € Caractéristique : 3 portes Point fort : confort

a. La voiture Touingo est plus .... que la voiture Space qui a plus de 8 ans.

b. La voiture Space est moins .... mais elle est plus .... que la voiture Touingo.

c. La voiture Space ne respecte pas l'environnement, elle est la moins ....

d. La voiture Touingo est moderne, elle est donc la plus ....

7 Jules et Marcel sont des jumeaux. Écoutez le témoignage de leur père et complétez les phrases en utilisant le comparatif et le superlatif. 🔊 24

=

a. Ils sont ....

b. Ils sont ....

+

c. Jules était plus .... que ....

d. Marcel était plus .... que ....

++

e. Jules est .... et ....

f. Marcel était ....

GRAMMAIRE Le plus-que-parfait et les temps du passé

→ Point Récap', livre p. 89

8 Complétez les phrases avec les verbes suivants.

avais acheté – étiez partis – avait oublié – avaient grandi – n'avions pas connu – étais arrivée

a. J' .... un vélo rétro à la brocante.

b. Nous .... l'histoire de notre grand-père jusqu'à aujourd'hui.

c. Il .... ce souvenir.

d. Je me souviens que tu .... en retard.

e. Vous .... en vacances avec votre belle-famille.

f. Ils .... si vite que nous ne les reconnaissions plus.

9 Conjuguez les verbes aux temps du passé comme dans l'exemple.

Exemple : Quand je suis <u>arrivé</u>, la brocante <u>était</u> <u>terminée</u>.

a. Quand leur père .... (arriver) pour leur lire une histoire, ils .... (s'endormir).

b. Je .... (arriver) trop tard, le train ....(partir).

c. Quand ils .... (entrer) dans la salle de cinéma, le film .... (commencer).

d. Quand il .... (comprendre) ce qui s'était passé, les voleurs .... (prendre) la fuite.

e. Elle .... (se retourner) : ses cousines .... (finir) tous les gâteaux.

10 Écoutez et notez les verbes conjugués aux temps du passé dans le tableau. 🔊 25

au passé composé	à l'imparfait	au plus-que-parfait

LEXIQUE La famille les relations

→ Point Récap', livre p. 88

11 **Lisez le texte et complétez les phrases avec les mots suivants.**

oncle – tante – cousine – père – mère – beau-frère – mari – fils – fille

Gilles et Gaëlle se sont mariés en 1980, ils ont trois enfants : Julien, Pierre et Émilie. Le frère de Gilles : Benoît, est célibataire. Gaëlle a une sœur jumelle Béatrice, mariée elle aussi, elle a une fille : Gwendoline.

a. Gilles est le .... de Gaëlle.

b. Émilie est la .... de Gwendoline.

c. Gaëlle est la .... de Gwendoline.

d. Benoît est l' .... de Julien, Pierre et Émilie.

e. Gilles est le .... de Béatrice.

f. Julien est le .... de Gaëlle.

12 **Écoutez Lucas qui nous montre une photo de sa famille le jour de son anniversaire,** **précisez qui sont les personnes sur la photo en utilisant les mots suivants.**

~~Lucas~~ – la sœur – le frère – le copain – la grand-mère – le grand père – le père

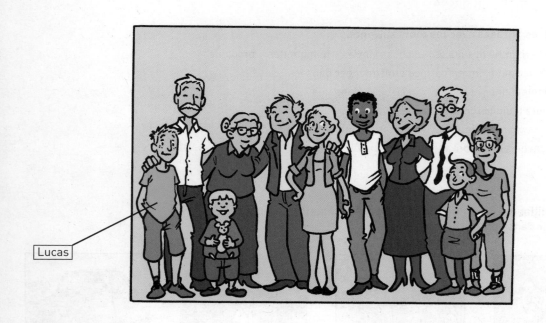

Lucas

13 Écoutez Daniel parler de sa famille et complétez son arbre généalogique. 27

♂ [   ]   ♀ [   ]

♂ [   ]   ♀ [   ]   ♂ [   ]   ♀ [   ]   ♂ [   ]

♂ [moi]   ♀ [   ]   ♂ [   ]

♂ [   ]

LEXIQUE La mode du passé

→ Point Récap', livre p. 88

14 Complétez les phrases avec les mots suivants.

autrefois – rétro – marché aux puces – disques vinyles – guinguettes – brocante

a. En bord de Loire, j'aime emmener mes amis manger dans les ....

b. Il a trouvé un téléphone .... dans une ....

c. Mon père écoute toujours de la musique sur des ....

d. ...., beaucoup de touristes anglais séjournaient à Nice.

e. Tous les dimanches, elles vont vendre de vieux vêtements au ....

15 Écoutez Guillaume parler de son grand-père et remettez les images 28
de son souvenir dans l'ordre chronologique.

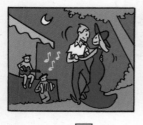
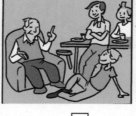
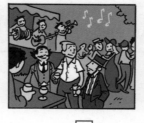
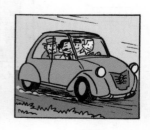

a. ☐   **b.** ☐   **c.** ☐   **d.** ☐

16 Écoutez Magali et répondez aux questions. 🔊 29

a. À quelle époque Magali voudrait-elle vivre ?
☐ Au début du XIXᵉ siècle.
☐ Au début du XXᵉ siècle.
☐ À la fin du XXᵉ siècle.

b. Selon elle, comment était la vie autrefois ?
☐ La vie était plus agréable.
☐ La vie était plus insouciante.
☐ La vie était plus séduisante.

c. Pourquoi aime-t-elle cette époque ?
☐ Parce que tout semble rétro.
☐ Parce que tout semble nouveau.
☐ Parce que tout semble beau.

d. Quels sont les arts qu'elle adore ?
☐ La littérature et la peinture.
☐ La littérature et la musique.
☐ La littérature et le cinéma.

e. À quoi aurait-elle pu assister si elle avait vécu à la Belle Époque ?
☐ À la construction de la tour Eiffel.
☐ À la destruction de la tour Eiffel.
☐ À l'inauguration de l'exposition universelle.

GRAMMAIRE **L'accord du participe passé (2)**

→ Point Récap', livre p. 89

17 Soulignez le COD dans les phrases suivantes.

a. Les (fraises/poireaux) que tu as mangées viennent du jardin de ma grand-mère.

b. C'est (le téléphone/la robe) que tu as acheté au marché aux puces ?

c. Il (nous/l') a informés de sa décision.

d. (La lettre/Le colis) ? Sophie l'a envoyée hier matin.

e. J'espère que ma tante (vous/t') a bien accueillis.

18 Complétez avec le participe passé et accordez-le avec le COD si c'est nécessaire.

a. Mes sœurs sont .... plusieurs fois dans cette guinguette. (aller)

b. Ils ont .... la cérémonie. (adorer)

c. Vous êtes .... d'Italie ? (revenir)

d. Cette recette, c'est ma grand-mère qui me l'a .... (donner)

e. Ces exercices, nous ne les avons pas .... (faire)

f. Elle a .... les fleurs pour les mettre dans un vase. (couper)

19 Écoutez et complétez le texte avec les participes passés qui manquent. 🔊 30

Leila a .... par ranger les documents qu'elle avait .... le matin sur son bureau.

Puis est .... prendre son train. Le train qu'elle devait prendre, a été ....

Elle a .... sa collègue, et heureusement, elle l'a .... en voiture jusque chez elle.

20 Remettez les mots des phrases suivantes dans l'ordre.

a. préfères / est-ce que / tu / lesquels / ?

....

b. Richard / celui-là / choisi / a / .

....

c. est-ce qu'il / laquelle / a / acheté / .

....

d. sont / veux / ceux-là / je / ce / que / .

....

e. elle / avec / partie / lesquelles / est-ce que / est / ?

....

f. partie / celles-ci / avec / elle / est / .

....

21 Répondez aux questions en utilisant les pronoms interrogatifs.

Exemple : Tu peux me prêter tes chaussures ? Oui bien sûr, lesquelles ?

a. Vous pouvez me passer la cuillère s'il vous plaît ? Oui .... ?
b. Est-ce que tu pourrais me prêter un de tes livres ? Oui .... ?
c. Marc, tu peux me passer tes outils ? Oui .... ?
d. Maman ! Tu peux me donner tes bottes ? Oui .... ?

22 Sylvain et Dimitri cherchent des vêtements vintages pour une soirée déguisée.
Complétez leur dialogue par les pronoms démonstratifs et interrogatifs qui conviennent.

celui-ci – lequel – lesquelles – celui-là – celle-là – celles-ci – celle-là – celles-là - laquelle

« Les chapeaux de cette boutique seront parfaits pour la soirée rétro de Noémie !

.... veux-tu essayer ?

— .... je pense, Il est très élégant non ? Et toi ?

— Moi, je porterai bien ....

— Et regarde ces chaussures ! .... est-ce que je dois porter à ton avis ?

— Aucune idée, ... ont l'air confortable, mais ....
sont plus originales.

— Ce sera encore mieux avec une cravate ! .... est la plus discrète ?

— .... , mais elle est abîmée, mais .... est trop
grande. »

PHONÉTIQUE Les sons [y], [ø] et [œ]

23 Complétez avec les mots suivants.

cœur – feutre – sœur – peuvent – chanteur – chanteuse – pure – peut – feu – punition – peur

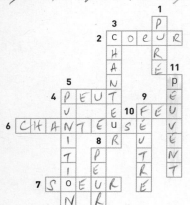

Comment ça s'écrit ?
[y] : ....
[ø] : ....
[œ] : ....

PHONÉTIQUE Les sons [i], [e] et [ɛ]

24 Tracez le chemin en passant par les mots qui contiennent le son [e].

Départ			
café	frère	sel	forêt
thé	fête	première	dernière
nez	premier	manger	été
pied	dessin	perte	dernier
			Arrivée

Comment ça s'écrit ?
[e] : ....
[ɛ] : ....

PRODUCTION ORALE Téléphoner pour se renseigner sur un objet

25 Voici l'annonce de M. Marne parue sur Internet. Vous l'appelez pour avoir des renseignements sur l'un des objets. Laissez-lui un message sur son répondeur.

Je vends de magnifiques objets vintage, à tous les prix.
*N'hésitez pas à m'appeler si vous êtes intéressé, au numéro suivant : 04 58 74 ** ***

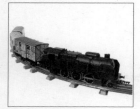

1935, 250 euros

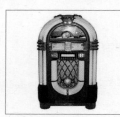

1960, 6 000 euros

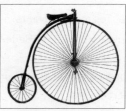

1870, 2 000 euros

PRODUCTION ÉCRITE Écrire un souvenir d'enfance

26 Racontez un anniversaire dont vous vous souvenez.

....
....
....
....
....
....
....

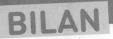

BILAN

1 **Les souvenirs**

Comptez 0,5 point
par bonne réponse.

Cochez les phrases qui évoquent un souvenir.

a. Hier soir, j'ai regardé un vieux film des années quarante.   ☐

b. Quand j'étais petit, j'avais un chat qui s'appelait Mistigri.   ☐

c. Je me rappelle en 1970, mon père était instituteur à Chalon-sur-Saône.   ☐

d. Je me souviens des confitures que faisait ma grand-mère.   ☐

e. En 1889, l'exposition universelle a eu lieu à Paris.   ☐

/2,5

2 **La famille et les relations**

Complétez les phrases.

Exemple : c'est la femme de mon frère, c'est ma belle-sœur.

a. Je les appelle papa et maman, ce sont mes ....

b. J'habite à côté de sa maison, c'est mon ....

c. C'est la fille de la sœur de ma mère, c'est ma ....

d. Je suis mariée avec lui, c'est mon ....

e. C'est le frère de mon père, c'est mon ....

/2,5

3 **La mode du passé**

Complétez les phrases avec les mots suivants.

marché aux puces – brocante – vintage – la Belle Époque – grenier

a. Je me suis acheté un blouson au ....

b. Moi, je suis collectionneur d'objets rares et je préfère la ...., j'y trouve beaucoup

de choses. Ma période préférée c'est ....

c. Dans mon ...., il y a un tas de vieilles choses, des vêtements ....,

des photos, de vieux disques.

/2,5

4 **Le comparatif et le superlatif**

Complétez avec le comparatif ou le superlatif qui convient.

a. Les résultats de la classe en mathématique sont mauvais, les résultats de Paul sont -- ....

b. Il a fait - .... chaud à Marseille qu'à Grenoble aujourd'hui.

c. Ma maison est + ... petite que son appartement.

d. Ton bouquet de fleurs est = ... joli que celui de ta cousine.

/2

5 Le plus-que-parfait et les temps du passé

Entourez dans chaque phrase la conjugaison du verbe qui convient.

Jacques (est sorti / sortait / était sorti) de chez lui à 8 heures. Il (a été / était / avait été) pressé car il (a eu / avait / avait eu) rendez-vous avec son patron, qui lui (a proposé / proposait / avait proposé) un meilleur poste dans son travail. Il (n'a pas dû / ne devait pas / n'avait pas dû) rater ce rendez-vous car il (a travaillé / travaillé / avait travaillé) très dur.

/3

6 L'accord du participe passé (2)

Accordez le participe passé à la forme correcte.

a. Les lettres qu'elle a .... sont magnifiques. (écrire)
b. Sa femme ? Il l'a .... à Paris. (rencontrer)
c. C'est la voiture que j'ai .... (acheter)
d. Son cadeau ? Paul l'a .... bizarrement. (regarder)
e. Le professeur a .... ses élèves au musée d'art contemporain. (emmener)

/2,5

7 Les pronoms démonstratifs et interrogatifs

Complétez les phrases par un pronom interrogatif ou un pronom démonstratif.

Exemple : Ils ont aimé <u>laquelle</u> ? Ils ont aimé celle-ci.
Vous préférez lesquelles ? Nous préférons <u>celles-là</u>.

a. Il veut ....? Il veut ceux-là.
b. Vous achetez .... ? Nous achetons celles-ci.
c. Tu prends lequel ? Je prends ....
d. Elle a mangé dans laquelle ? Elle a mangé dans ....
e. Vous avez écouté lesquels ? Nous avons écouté ....

/2,5

| Comptez 0,25 point par phrase correcte. | Comptez 0,25 point par bonne réponse. |

8 Les sons [y], [ø] et [œ]

Soulignez les mots qui contiennent les sons [ø] et [œ] avec des couleurs différentes.

a. Il peut avoir peur.
b. Ils peuvent avoir peur.
c. Il veut être danseur.
d. Elles veulent être danseuses.
e. Il est heureux.

/1,25

9 Les sons [i], [e] et [ɛ]

Soulignez les mots qui contiennent les sons [e] et [ɛ] avec des couleurs différentes.

a. Tu veux une bière ?
b. Non, je veux un café.
c. Il a fini premier.
d. Elle a fini première.

/1,25

Résultats : .... /20 points

5 Explorer l'inconnu

LEXIQUE Les voyages

→ Point Récap', livre p. 106

1 Associez les images au mot qui convient.

le billet – s'envoler – s'expatrier - la frontière

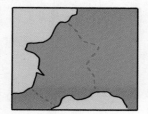 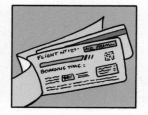 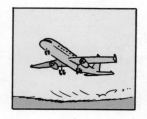 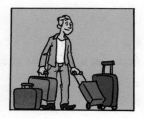

a. ....

b. ....

c. ....

d. ....

2 Écoutez l'expérience de David et sa famille puis répondez aux questions 🔊 31
avec les mots suivants.

le grand départ – faire les valises – les billets d'avion – s'expatrier – son passeport

a. Qu'est-ce que David a acheté sur Internet ? ....

b. Que s'est-il passé pour David le 27 août ? ....

c. Qu'est-ce qui a été le plus difficile pour David et sa famille ? ....

d. Qu'est ce que David avait oublié ? ....

e. De quoi ont toujours rêvé David et sa femme ? ....

3 Écoutez et associez les mots aux situations de chaque personne. 🔊 32

1. Stéphane   ●   ● **a.** partir en vacances

2. Marcella   ●   ● **b.** passer la frontière

3. Shanez et Grégory ●   ● **c.** poser ses valises

4. La famille Boileau ●   ● **d.** s'expatrier

5. Jonathan   ●   ● **e.** s'installer

GRAMMAIRE Conjugaison : *accueillir*

4 Complétez avec le verbe conjugué au présent.

a. 1ʳᵉ personne du singulier : ....

b. 2ᵉ personne du singulier : ....

c. 3ᵉ personne du singulier : ....

d. 1ʳᵉ personne du pluriel : ....

e. 2ᵉ personne du pluriel : ....

f. 3ᵉ personne du pluriel : ....

> 💡 **Rappel grammaire**
> *Accueillir* est un verbe du 3ᵉ groupe, comme les verbes *cueillir, couvrir, découvrir, offrir, souffrir* ou *ouvrir*... Ses terminaisons au présent de l'indicatif sont : -e/-es/-e/-ons/-ez/-ent.

GRAMMAIRE Les pronoms relatifs *où* et *dont*

→ Point Récap', livre p. 107

5 **Pour chaque phrase, dites si *où* exprime le lieu ou le temps.**

	Lieu	Temps
a. Les vacances où nous avons été en Corse, ont été très ensoleillées.	☐	☐
b. L'année où tu as été malade, a dû être très difficile.	☐	☐
c. La vidéo où tu as vu des animaux sauvages est sur Internet.	☐	☐
d. Les pays où il y a des migrants, ne sont pas toujours des pays riches.	☐	☐
e. Le week-end où nous sommes allés en Norvège a été riche en découvertes et aventures.	☐	☐

6 **Pour éviter les répétitions, rédigez une seule phrase en utilisant *où* ou *dont*.**

Exemple : Aude travaille dans un magasin. Le magasin est très loin de chez elle.
→ Le magasin où Aude travaille est très loin de chez elle.

a. Stéphanie et Marion sont inscrites dans un club de sport.
Leur club de sport propose des cours de Zumba.

....

b. Tu m'as parlé d'une jeune fille très sympa. La jeune fille est d'origine indonésienne.

....

c. Delphine a grandi dans ce quartier. Le quartier de Delphine se trouve près du centre-ville.

....

d. Elle rêve de faire ce voyage. François va offrir à Anne le voyage.

....

e. Nous avons perdu des billets de train. Le remboursement des billets de train est impossible.

....

7 **Écoutez le dialogue puis complétez les phrases avec les expressions suivantes.** 🔊 33

où il connaît tout le monde – dont tu rêves – où je rêve d'habiter – dont je t'ai parlé
Exemple : Le quartier <u>où il habite depuis 10 ans</u>, est calme et joli.

a. Le restaurant ...., n'est pas cher.

b. L'endroit ...., est sympa.

c. La ville ...., est située près de la mer.

d. Le pays ...., est difficile à trouver.

LEXIQUE Les démarches administratives

→ Point Récap', livre p. 106

8 **Complétez les expressions avec les verbes qui conviennent.**

Signer – S'inscrire – Remplir – Rechercher – Négocier – Embaucher

a. .... un formulaire   **d.** .... un logement

b. .... un contrat   **e.** .... un employé

c. .... à une newsletter   **f.** .... un devis

9 **Complétez le texte avec les mots suivants.**

contrat – lettre – signature – démarches – formulaire – administratifs

Ah les .... administratives ! Remplir plusieurs fois le même

.... peut rendre fou ! Et toutes ces conditions à consulter

avant de signer un .... C'est compliqué !

66 % des Français pensent que les services .... font exprès

de perdre les documents pour gagner du temps ! Un cliché qui dure...

Ainsi, après la .... d'une pétition par plus 22 000 personnes pour

se plaindre de cette situation, l'État français a décidé de réagir en écrivant

une .... d'information pour expliquer les raisons de cette lenteur.

> **Lexique**
> Pétition : Demande adressée par oral ou écrit à une autorité.

10 **Vous voulez aller à Madagascar pour les grandes vacances. L'agence de voyage vous laisse un message et vous énumère toutes les démarches administratives nécessaires. Cochez tous les éléments utiles.** 🔊 34

a. ☐ Acheter un guide touristique.   **e.** ☐ Donner son contrat de travail.

b. ☐ Faire sa demande de passeport.   **f.** ☐ Vérifier ses vaccins.

c. ☐ Acheter les billets d'avion.   **g.** ☐ Faire sa carte d'identité.

d. ☐ Faire sa demande de visa.   **h.** ☐ Changer son argent.

GRAMMAIRE Le gérondif

→ Point Récap', livre p. 107

11 **Dites si les gérondifs indiquent deux actions qui se passent en même temps ou la manière dont se déroule l'action.**

	Le temps	La manière
Exemple : Il s'est fait mal en tombant.	☐	☒
a. Les douaniers ont vérifié les identités en contrôlant les bagages.	☐	☐
b. Anne-Cécile s'est coupée en cuisinant.	☐	☐
c. Lucas leur a dit bonjour en présentant son passeport.	☐	☐
d. Il mange en regardant la télévision.	☐	☐
e. Jeanne est sortie du train en sautant.	☐	☐
f. Dans l'avion, Pascale lit en écoutant de la musique.	☐	☐

12 **Associez les phrases aux images.**

a. Georges et Jean font du ski en se parlant.

b. Irène marche en téléphonant.

c. Il va à la boulangerie en courant.

d. Le vendeur parle à Pierre en souriant.

e. Une petite fille se promène en chantant.

f. Le policier arrête une voiture en sifflant.

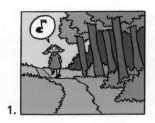

1.

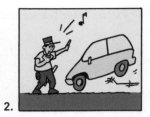

2.

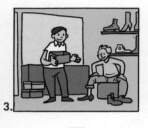

3.

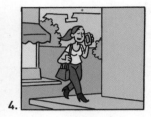

4.

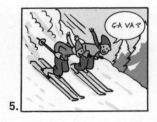

5.

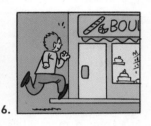

6.

13 **Clément a habité 1 an en Chine. Comme il aime beaucoup l'aventure mais qu'il est très maladroit, il a eu quelques accidents. Associez les blessures à leurs accidents.**

en voulant caresser un panda

en tombant de vélo

en se cognant à la voile

en sortant du bateau

en jouant avec des couteaux

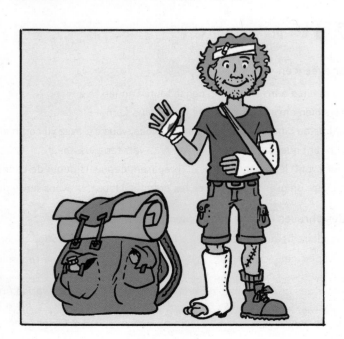

LEXIQUE Les stéréotypes

14 Complétez les stéréotypes sur les Français.

on dit que – ils ont l'air – ils semblent – ils ont la réputation

a. En cuisine ? .... d'aimer la bonne cuisine, mais aussi de manger des grenouilles.

b. Le travail ? .... les Français sont toujours en grève ou en vacances.

c. En amour ? .... romantiques.

d. Physiquement ? .... être toujours très élégants, certainement parce que Paris est la capitale de la mode.

15 Écoutez les stéréotypes décrits et associez-les aux nationalités. 🔊 **36**

a.
Stéréotype n° : ...

b.
Stéréotype n° : ...

c.
Stéréotype n° : ...

d.
Stéréotype n° : ...

16 Antonin, marseillais, donne son avis à son ami Daniel sur des villes de France. 🔊 **37** Retrouvez les stéréotypes pour chaque ville.

Paris : ....

Lille : ....

Lyon : ....

Marseille : ....

Grenoble : ....

GRAMMAIRE Les pronoms *en* et *y*

17 Complétez avec « en » ou « y ».

a. Les examens de fin d'année ? On ...... pense toute l'année !

b. J'..... prendrais bien encore un peu mais je n'ai plus faim.

c. J'ai vu trois films au cinéma cette semaine. Et vous, vous ..... avez vu combien ?

d. Au Japon ? En tant que journaliste sportive, j'...... vais tous les ans.

e. Adrien et Laura vont déménager. Ils s'...... préparent depuis le début de l'année.

f. Nous voulons faire un grand voyage avec les enfants. Nous ...... avons envie depuis longtemps.

18 Rédigez des phrases comme dans l'exemple.

Exemple : Nous / faire beaucoup de sport → Nous en faisons beaucoup.

a. Elle / aller à la piscine le dimanche.

....

b. Mustafa / visiter des grandes villes d'Europe en 2013.

....

c. Jacqueline et Nadine / boire du thé au jasmin.

....

d. Je / répondre à l'invitation de mes parents.

....

e. Pawarisa / revenir de Thaïlande.

....

f. Oscar / penser aux vacances au Maroc souvent.

....

19 Imaginez ce qu'« en » et « y » remplacent à partir des images et formez une phrase.

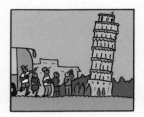

Exemple :
Le guide touristique nous en a parlé.
→ Le guide touristique nous a parlé de la Tour de Pise.

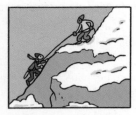

a. Manuela et Olivier s'y préparent depuis 2 ans.

....

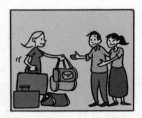

b. Vous en aurez besoin pour votre voyage.

....

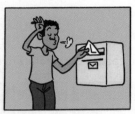

c. Loïc s'en est rappelé au dernier moment.

....

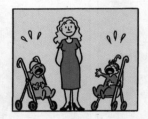

d. C'était compliqué au début mais je m'y suis habitué.

....

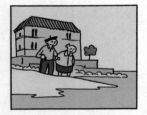

e. Avec mon mari, nous y pensions depuis un moment.

....

GRAMMAIRE Le subjonctif et l'obligation

→ Point Récap', livre p. 107

20 Entourer la forme correcte.

a. Il faut que nous (sachions/sachons) quand est la mousson aux Philippines.

b. Ma femme aimerait que j'(ai/aie) un poste dans une ville au bord de l'océan Pacifique.

c. Je voudrais absolument que tu (apprends/apprennes) les formules de politesse avant d'aller dans un pays étranger.

d. Il faudrait que vous (changez/changiez) les roues du camping car.

e. Nous aimerions que nos parents (choisissaient/choisissent) de passer les prochaines vacances en Afrique.

f. Il faut que je (fasse/fais) toutes mes démarches administratives avant la fin du mois.

21 Transformez les phrases en utilisant *il faut que* ou *il ne faut pas que*.

Exemple : Vous devez faire attention sur les routes dangereuses.
→ Il faut que vous fassiez attention sur les routes dangereuses.

a. Tu dois terminer toutes tes démarches administratives très rapidement.

....

b. Avec toute ma famille, nous devons commencer à faire nos valises.

....

c. Vous ne devez pas être stressés dans l'avion.

....

d. Je dois aller visiter tous les monuments de Rome !

....

e. Sylvana doit partir en Colombie pour son travail.

....

f. Les enfants ne doivent pas sourire sur leur photo d'identité.

....

22 Regardez les images et remettez le dialogue dans l'ordre.

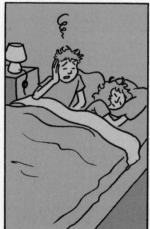 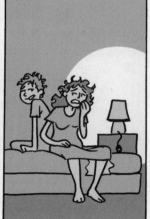 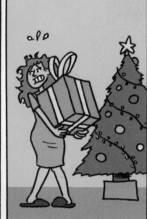 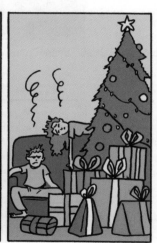

a. La mère : — S'il te plaît, j'aimerais que tu viennes m'aider !
b. Le père : — Oh, non… Il faut qu'on mette les cadeaux sous le sapin…
c. La mère : — Tiens bonne idée ! Ce serait bien que tu fasses les courses de Noël avec moi, tu les choisiras correctement !
d. Le père : — Je préférerais que tu y ailles.
e. La mère : — Ah non ! Pourquoi moi ? Il faudrait que j'arrête de me laisser faire.
f. Le père : — L'année prochaine, il faut vraiment qu'on choisisse des cadeaux moins lourds…

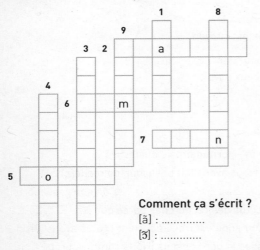

PHONÉTIQUE Les sons [ã] et [ɔ̃]

23 Complétez avec les mots suivants.

temporel – honte – tomber – chambre – centaine – chanter – bande – faon – patienter

Comment ça s'écrit ?

[ã] : ....

[ɔ̃] : ....

PHONÉTIQUE Les sons [i] et [j]

24 Tracez le chemin en passant par les mots qui contiennent le son [j].

Départ				
ailleurs	payer	pari	assise	bis
aller	parier	parité	Pyrénées	bile
assis	assiette	pareil	travail	bille
sirop	arriver	rythme	île	œil
y	réfléchir	souci	haïr	aïeux

Arrivée

Comment ça s'écrit ?

[j] : ....

[i] : ....

PRODUCTION ORALE Rassurer quelqu'un

25 Vous êtes chargé d'accueillir les étrangers d'origine française qui viennent s'installer dans votre pays. Vous préparez votre discours d'accueil dans lequel vous expliquez rapidement les coutumes de votre pays. Dans ce message, vous leur donnez des conseils et surtout vous les rassurez.

PRODUCTION ÉCRITE Écrire un questionnaire

26 Vous travaillez pour une agence de voyage.

Vous écrivez un questionnaire pour savoir si les clients sont contents d'un voyage au Mexique que vous avez organisé. Posez des questions sur l'accueil du personnel et la qualité des prestations.

....

....

....

....

....

....

....

BILAN

1 **Les voyages**

Comptez 0,5 point
par bonne réponse.

Relier les noms à leur définition.

1. Patrie •

a. Qui contrôle les marchandises et produits
aux frontières des pays.

b. Personne qui a quitté son pays ou
qui en a été chassée.

2. Voyager •

3. Expatrié •

c. Pays où on est né ou dont on est citoyen.

d. Aller dans différents lieux pour découvrir
de nouvelles régions, de nouveaux pays.

4. Douane •

/2

2 **Les démarches administratives**

Complétez le texte avec les mots suivants.

vérifier la validité – démarches administratives – se renseigner – visa – formulaires – guides

Avec Tom, nous avons décidé de faire le tour du monde en 6 mois. Nous avons fait beaucoup de recherches

et de .... Nous avons dû .... de nos passeports

et déposer nos demandes de .... Ensuite, nous avons effectué des recherches parce que ....

.... sur les différents pays et voir ce qui est recommandé est très important ! Nous avons aussi

acheté de nombreux .... pour trouver de bonnes adresses et des conseils. Nous sommes prêts

à partir dans un mois ; nous sommes très excités même s'il reste quelques .... à remplir.

/3

3 **Les stéréotypes**

Complétez le texte avec les mots suivants.

semblent – la réputation – une image – au cliché – du stéréotype

Les Américains ont .... des Français allant .... du petit homme un peu rond portant

béret et baguette .... de la femme grande, mince et élégante qui s'habille avec des marques très

chères et très chics. Les Français ont également .... de manger des escargots et beaucoup de

fromage même si en général, les étrangers trouvent la nourriture française très variée et très bonne.

En fait, les Français .... être perçus à la fois comme des gens très élégants et romantiques

mais aussi un peu désagréables car ils sont réputés très râleurs !

/2,5

4 **Les pronoms relatifs *où* et *dont***

Complétez les phrases avec *où* ou *dont*.

a. Le quartier .... j'habitais dans mon enfance, a été détruit.

b. Le camping .... nous avons passé le mois d'août, ouvre en avril.

c. Le voyage .... nous avons entendu parler, a été annulé.

d. Séverine s'est acheté tous les souvenirs .... elle avait envie.

e. Nous étions en Islande l'année .... le volcan s'est réveillé.

/2,5

5 Le gérondif

Complétez les phrases en mettant les verbes au gérondif.

a. .... la Patagonie, j'étais triste. (quitter)

b. J'ai regardé ces magnifiques paysages .... de mon voyage. (se souvenir)

c. Mon moment préféré reste le jour où nous sommes arrivés au lac Argentino
.... une course de chevaux. (faire)

d. J'ai gardé toutes nos aventures .... des dizaines de photos. (prendre)

e. Maintenant, je reprends l'avion .... plein d'incroyables souvenirs. (avoir)   **/2,5**

6 Les pronoms *en* et *y*

Remettez les mots des phrases dans l'ordre.

a. pas / y / ils / allés / sont / n'

....

b. en / encore / peu / j' / un / prendrais

....

c. habitons / ans / y / nous / cinq / depuis

....

d. tu / content / en / ? / est-ce que / es

....

e. fais / n' / je / depuis / en / longtemps / plus

....

/2,5

7 Le subjonctif et l'obligation

Cochez la forme correcte.

a. Demain, il faut … avant 6 h 30.
☐ tu te lèves   ☐ que tu te lèves   ☐ lever

b. Dans l'aéroport, on ne doit pas …
☐ fumer   ☐ qu'on fume   ☐ ne pas fumer

c. Il faut … le formulaire au guichet C.
☐ rende   ☐ rendre   ☐ que je rende

d. Pendant ton voyage, il faut … un journal de bord pour l'école.
☐ tu écrives   ☐ que tu as écrit   ☐ que tu écrives

e. Pour vous intégrer, vous devez … vos habitudes.
☐ que vous changiez   ☐ changer   ☐ vous changez

/2,5

> Comptez 0,25 point
> pour 2 bonnes réponses.

8 Les sons [ã] et [ɔ̃]

Soulignez les mots qui contiennent les sons [ã] et [ɔ̃] avec des couleurs différentes.

Il s'est trompé en payant l'addition. En s'en apercevant, il est revenu au restaurant régler la différence au patron.

/1,25

9 Les sons [i] et [j]

Soulignez les mots qui contiennent les sons [i] et [j] avec des couleurs différentes.

— Tu as dîné au restaurant ?

— Oui, j'ai mangé un dos de cabillaud sur lit de fenouil.

Ensuite, on a commandé une assiette de fromage.

Et je me suis laissé tenter par un tiramisu.

L'addition était salée…

/1,25

Résultats : …….. **/20 points**

6 Goûter l'insolite

→ Point Récap', livre p. 124

LEXIQUE Les sorties et la programmation

1 **Complétez le texte avec les mots suivants.**

un billet – la programmation – une affiche – horaire – la billetterie – concert – festival

Aujourd'hui j'ai vu .... dans le métro pour le festival *Rock à Paris*.

Ce .... a lieu chaque année à Paris pendant trois jours et ....

est toujours excellente et variée. J'ai vu que le groupe Franz Ferdinand passe en ....

le vendredi 23 août à 21 heures. Cet .... me convient bien car, heureusement,

je ne travaille que jusqu'à 19 heures. Je vais aller à .... demain pour acheter

....

2 **Remettez les phrases du dialogue dans l'ordre.**

a. Une dernière question : est-ce que je dois réserver ?

b. Bien sûr, que souhaitez-vous savoir ?

c. L'atelier à lieu tous les mardis à 19 heures.

d. Le premier cours est gratuit, puis vous devez payer 100 euros pour dix cours.

e. Oui, la réservation est obligatoire.

f. D'abord, quel jour a lieu l'atelier ?

g. Et, est-ce que c'est gratuit ?

h. Bonjour Madame, je voudrais avoir des informations sur l'atelier de cuisine moléculaire
que vous proposez.

3 **Paul veut faire beaucoup de choses cette semaine. Il est libre tous les soirs de 20 heures à 23 heures. À partir de son temps libre et des activités suivantes, proposez-lui une activité à faire par jour. Faites une phrase comme dans l'exemple.**

Exemple : lundi 1er octobre à 21 heures, Paul va aller voir *Alceste à bicyclette* au cinéma MK2 quai de Loire à Paris 19e.

MK2 quai de Loire Paris *Alceste à bicyclette* (2 heures) lu, ma, je, ven : 19 heures, 21 heures	Concert Artic Monkeys au Zénith de Paris mardi 2 et mercredi 3 octobre à 20 heures	Exposition Chagall musée du Luxembourg Paris lu, me, ve 11 heures à 19 heures, je 11 heures à 22 heures
Atelier cuisine italienne : risotto ma, ve 19 h 30 ou 21 h 30	Dîner avec Mélanie chez Kyoto Express Paris mardi ou mercredi à 20 heures	

a. Mardi 2 octobre ....

b. Mercredi 3 octobre ....

c. Jeudi 4 octobre ....

d. Vendredi 5 octobre ....

GRAMMAIRE Conjugaison : *craindre*

4 **Conjuguez le verbe *craindre* au présent dans les phrases suivantes.**

a. Lola .... d'arriver en retard au théâtre.

b. Je .... de devoir manger des insectes un jour.

c. Nous .... qu'il soit trop tard pour réserver des places.

d. Que .... -vous ? Il ne va pas pleuvoir ce soir.

e. Tu .... vraiment que le gâteau au chocolat ne soit pas assez sucré ?

f. Lucas et Ambroise .... les araignées.

> **Rappel grammaire**
> Le verbe *craindre*, comme tous les verbes qui se terminent par *-indre*, a deux radicaux : *crain-* au singulier, *craign-* au pluriel. Les terminaisons des verbes du 3e groupe au présent de l'indicatif sont : -s -s -t -ons -ez -ent.

GRAMMAIRE La place des adjectifs

→ Point Récap', livre p. 125

5 **Entourez pour chaque phrase la place de l'adjectif qui convient.**

a. Tu as (de beaux yeux/des yeux beaux).

b. Comme il a (des oreilles grandes/de grandes oreilles) !

c. Hier soir j'ai vu (un très bon concert/un concert très bon).

d. Ce garçon a (un assez élégant visage/un visage assez élégant).

e. Mon père a eu (un léger problème/un problème léger) avec sa voiture, elle ne démarre plus.

f. Ce scientifique est (un grand homme/un homme grand), je l'admire.

6 **Remettez les mots dans l'ordre pour reconstituer les phrases.**

a. ce restaurant/un menu/a/mais/simple/varié

....

b. assez/propose/des plats/il/savoureux

....

c. choisit/le chef/toujours/frais/des produits

....

d. aime/Martin/dîner/dans/des/restaurants/grands/célèbres

....

e. des livres/très/ce/sont/intéressants

....

f. le chef/des recettes/anciennes/cuisine

....

7 Cochez le sens le plus proche pour chaque phrase.

a. C'est un ancien artiste.

☐ C'est un artiste âgé.

☐ C'est un artiste qui n'est plus.

☐ C'est un artiste que je connais depuis longtemps.

b. Ce scientifique a fait beaucoup de découvertes, c'est un grand homme.

☐ C'est un scientifique célèbre.

☐ C'est un scientifique de grande taille.

☐ C'est un scientifique que j'aime bien.

c. Cette valise légère ? Je la porte très facilement.

☐ Je n'ai aucun problème pour porter cette valise.

☐ Cette valise est petite, c'est facile de la porter.

☐ Cette valise n'est pas lourde, c'est facile de la porter.

d. Je n'apprécie pas Monica, elle est fausse.

☐ Je n'apprécie pas Monica, car elle n'est pas correcte.

☐ Je n'apprécie pas Monica, car elle est hypocrite.

☐ Je n'apprécie pas Monica, car elle est en plastique.

GRAMMAIRE La restriction

→ Point Récap', livre p. 125

8 Transformez les phrases en utilisant la restriction.

Exemple : J'ai une demi-heure pour déjeuner. → Je n'ai qu'une demi-heure pour déjeuner.

a. Ils boivent des jus de fruits.

→ ....

b. Nous avons vu une exposition de sculpture cette année.

→ ....

c. Il a vu deux films le mois dernier.

→ ....

d. Elle a été à un concert dans sa vie.

→ ....

e. Je sais faire les pâtes à la carbonara.

→ ....

f. Le restaurant *Bordeaux Parme* ouvre le samedi soir.

→ ....

9 Répondez aux questions comme dans l'exemple.

Exemple : — Tu as d'autres enfants ? (seulement 1 enfant)
→ Non, je n'ai qu'un enfant.

a. Tu mets du sucre dans ton café ? (seulement du miel)

Non, ...

b. Le film dure trois heures ? (seulement 1 h 30)

Non, ...

c. Tu vis à Rome toute l'année ? (seulement l'été)

Non, ...

d. Tu pars aussi en vacances en avril ? (seulement en février)

Non, ...

e. Ta fille est en deuxième année d'école de commerce ? (seulement en première année)

Non, ...

f. Adrien parle le japonais ? (seulement le français)

Non, ...

10 Observez l'annonce et répondez aux questions en utilisant la restriction.

> **Appartements à louer**
> Magnifique 2 pièces au 1ᵉʳ étage dans un immeuble de standing.
> 45 m² avec une chambre, cuisine équipée et salle d'eau.
> Loyer de 400 €, libre à partir de septembre.

a. Combien de pièce possède l'appartement à louer ?

....

b. À quel étage se trouve l'appartement ?

....

c. Combien de m² fait l'appartement ?

....

d. Combien coûte la location ?

....

e. À partir de quand est-il libre ?

....

LEXIQUE La nourriture   → Point Récap', livre p. 124

11 Entourez les ingrédients qui entrent dans la recette du gâteau au chocolat.

farine – haricots verts – fromage – oranges – chocolat – œufs – sel – yaourt – poisson – levure – poivre – pomme –
pâtes – beurre – lait – laitue – tomate – petits pois – steak – olives – carottes – sucre – caramel – riz – crevettes

12 Écoutez un groupe de personnes parler de ce qu'ils mangent et associez les aliments à chacun d'eux.

Sirrine – Yvonne – Roxane – Arthur – Alex – Laurent

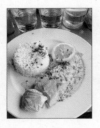

a. ....

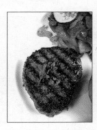

b. ....

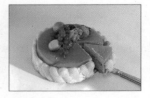

c. ....

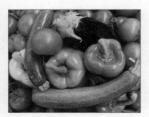

d. ....

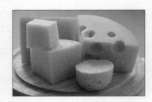

e. ....

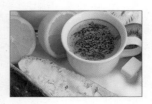

f. ....

13 Écoutez les goûts de ces personnes et proposez à chacun d'eux le type de cuisine qui leur convient.

1. Sylviane •
2. Rémi •
3. Reda •
4. Emma •

• **a.** cuisine vietnamienne
• **b.** cuisine expérimentale
• **c.** cuisine traditionnelle
• **d.** cuisine italienne

LEXIQUE Les insectes

→ Point Récap', livre p. 124

14 Associez le nom des insectes à l'image qui convient.

sauterelle – ver – fourmi – papillon – coccinelle – abeille

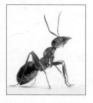

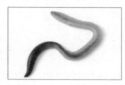

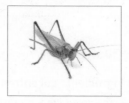

a. ....

b. ....

c. ....

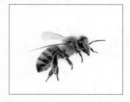

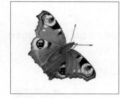

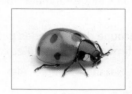

d. ....

e. ....

f. ....

15 Retrouvez les 6 insectes dans la grille.

papillon – araignée – fourmi – criquet – grillon – abeille

p	c	f	o	u	r	m	i
a	r	a	i	g	n	é	e
p	i	b	n	r	a	t	r
i	q	e	d	i	b	é	o
l	u	i	o	l	o	a	s
l	e	l	u	l	u	t	e
o	t	l	i	o	j	l	t
n	u	e	y	n	r	m	t

16 Qui est qui ? Écoutez et retrouvez l'insecte qui correspond à chaque description. 🔊 40

a. insecte 1 : ....

b. insecte 2 : ....

c. insecte 3 : ....

d. insecte 4 : ....

e. insecte 5 : ....

GRAMMAIRE Le subjonctif et les sentiments

→ Point Récap', livre p. 125

17 Cochez les phrases qui expriment un sentiment.

☐ **a.** Je suis contente que tu ailles mieux.

☐ **b.** Florence veut que tu travailles demain.

☐ **c.** Il faut que vous arrêtiez de faire du bruit, je n'arrive pas à me concentrer !

☐ **d.** Je doute que nous puissions nous promener, il va pleuvoir.

☐ **e.** Il est possible que les enfants soient en retard.

☐ **f.** Elsa ne pense pas qu'on parte avant 18 heures.

☐ **g.** Maxime regrette que le voyage soit annulé.

☐ **h.** Éléonore a peur que ses enfants se perdent en forêt.

18 Formez une seule phrase au subjonctif comme dans l'exemple.

Exemple : Je suis déçu. Tu n'aimes pas mon gâteau au chocolat.
→ Je suis déçu que tu n'aimes pas mon gâteau au chocolat.

a. Je doute. On se met à manger des insectes.

....

b. Il regrette. Les restaurants parisiens sont de plus en plus chers.

....

c. Elle est triste. Vous ne venez pas au spectacle.

....

d. Je suis désolée. Tu ne peux pas venir au concert.

....

e. Il est furieux. Elles sortent sans lui.

....

19 Écoutez Gary et expliquez ce qu'il ressent. Faites des phrases au subjonctif 🔊 41 en utilisant les expressions suivantes.

a. Il doute que ce film ....

b. Il est furieux que ces amis ....

c. Il est surpris que ces amis ....

d. Il préfère que ces amis ....

e. Il est heureux que ces amis ....

GRAMMAIRE Le futur simple et le futur proche

20 **Soulignez les phrases correctes.**

a. Demain, je vais aller au restaurant avec mon frère.
Demain, j'irai au restaurant avec mon frère.
b. Bientôt, je vais organiser une soirée crêpes.
Bientôt, j'organiserai une soirée crêpes.
c. Un jour, elle va avoir le courage de parler devant
un public.
Un jour, elle aura le courage de parler devant
un public.

d. La semaine prochaine, nous allons participer à un
atelier de cuisine.
La semaine prochaine, nous participerons à un atelier
de cuisine.
e. Quand tu auras le temps, est-ce que tu pourras
réparer cette montre ?
Quand tu vas avoir le temps, est-ce que tu vas pouvoir
réparer cette montre ?
f. Cette semaine, j'irai chez le coiffeur.
Cette semaine, je vais aller chez le coiffeur.

21 **Écoutez Christina raconter son programme de la semaine
et complétez son emploi du temps avec les activités suivantes.**

restaurant – déjeuner – concert – piscine – cours d'espagnol – cinéma

a. Lundi : ....

b. Mardi : ....

c. Mercredi : ....

d. Vendredi : ....

22 **Reconstituez une phrase au futur simple à partir des informations.**

Exemple : Date : 2020
Personne : Jean
Âge : 40 ans
→ En 2020, Jean aura 40 ans.

a.
Date : Cet été
Destination : Népal
Personne : La famille de Sylvie

....

....

b.
Date : en 2050
La population mondiale : 10 milliards d'humains

....

....

c.
Date : 2030
Nombre hommes supérieur nombre femmes

....

....

d.
Date : 2025
Température de la terre : augmentation de 0,5 degré.

....

....

e.
Date : 2027
Pays : France
Élections présidentielles

....

....

PHONÉTIQUE La liaison et l'enchaînement vocalique

23 Barrez les lettres finales non prononcées et notez les liaisons et les enchaînements vocaliques.

a. C'est une jolie enfant.

b. Ce sont de jolis enfants.

c. C'est une vraie amitié.

d. Ce sont de vraies amitiés.

e. C'est un chat intelligent.

f. Ce sont des chats intelligents.

g. C'est un opéra étonnant.

h. Ce sont des opéras étonnants.

PHONÉTIQUE Le son [ʀ]

24 Complétez avec les mots suivants.

crédit – financière – équilibre – prix – austérité – intérêt – emprunt – avenir – crise

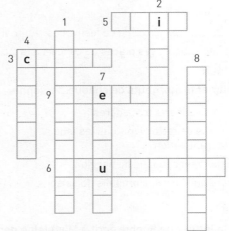

Quels sont les deux points communs de ces mots ?

- ....
- ....

PRODUCTION ORALE Exprimer ses sentiments

25 Que diriez-vous pour exprimer votre joie à un ami qui vient chez vous pour les vacances ?

PRODUCTION ÉCRITE Écrire un commentaire sur un forum

26 Vous êtes sur un forum dédié à la cuisine des insectes.
Vous réagissez en exprimant vos émotions et vos hypothèses au futur.

....
....
....
....
....
....
....
....

BILAN

Comptez 0,5 point par bonne réponse.

① Les sorties et la programmation

Complétez les phrases avec les mots suivants.

billetterie – exposition – affiche – programme – atelier

a. J'ai eu envie de voir ce film quand j'ai vu cette ....

b. Hier je suis allé voir une .... très intéressante sur la photographie.

c. Monique a participé à un .... cuisine avec Sarah.

d. Le .... de ce festival est vraiment très intéressant.

e. Pierre est allé acheter ses places de concert à la ....

/2,5

② La nourriture

Reliez les aliments aux goûts de chaque personne.

1. Lény aime les desserts très sucrés. •

• **a.** un morceau de viande grillée

2. Sophie et Lucie se retrouvent tous les jeudis dans un restaurant italien. •

• **b.** des légumes frais

3. Mon père ne mange jamais de poisson. •

• **c.** un gâteau au chocolat

4. Laurie adore cuisiner des produits de saisons. •

• **d.** des pâtes

/2

③ Les insectes

Complétez la lettre que Sophie écrit à Madeleine depuis sa maison en Provence avec les mots suivants.

cigales – araignée – abeilles – grillon – fourmis

Chère Madeleine,

Quel bonheur d'entendre à nouveau le chant des .... et le bourdonnement

des .... qui butinent dans le pré devant la maison.

Je n'ai pas très bien dormi cette nuit pourtant : j'ai découvert qu'une énorme ....

avait tissé sa toile au plafond de ma chambre et un .... caché quelque part

dans la pièce a chanté jusqu'à 3 heures du matin ! En me réveillant, j'ai découvert des ....

dans la cuisine. Elles avançaient en file chargées de grain de sucre !

Donne-moi vite de tes nouvelles,

Je t'embrasse,

Sophie

/2,5

④ La place des adjectifs

Recopiez la phrase en plaçant correctement les adjectifs.

a. Mes parents ont une maison au bord de la mer. Grande

....

b. Joane a un appartement. Assez petit.

....

c. Nous avons réservé une chambre. Magnifique

....

d. Lucien a préparé un repas. Très bon

....

e. Damien est allé voir un spectacle. Excellent

....

f. Martine m'a amené voir un film. Très mauvais

....

/3

5 Le subjonctif des sentiments
Conjuguez les verbes entre parenthèses

a. Elle regrette que tu .... malade. (être)

b. Nous craignons qu'elle .... un problème. (avoir)

c. Elle préfère que j'..................... travailler. (aller)

d. Je suis heureuse que vous .... des progrès. (faire)

e. Nous sommes désolés que tu .... seulement demain. (venir) .

/2,5

6 Le futur simple et le futur proche
Soulignez les phrases correctes.

a. Demain, j'irai au cinéma.

b. La semaine prochaine, je vais aller voir *Phèdre* au théâtre.

c. Ce week-end, je vais organiser un dîner polonais.

d. Dans 2 mois, je ne serai plus au Chili.

e. Un jour, je vais partir en Éthiopie.

f. Quand tu vas rentrer, je vais dormir.

g. Dans dix ans, nous mangerons tous des insectes.

h. Cette semaine, je commencerai un atelier de cuisine.

/2

7 La restriction
Utilisez la restriction pour transformer les phrases suivantes.

Exemple : Le concert de piano était merveilleux. Pourtant il y avait seulement 20 personnes.
→ Pourtant il n'y avait que 20 personnes.

a. Nicolas est furieux. Pourtant j'ai seulement 10 minutes de retard.

....

b. Frida a faim parce qu'elle a mangé seulement une pomme à midi.

....

c. Je n'ai pas le temps de préparer un gâteau. J'ai seulement une demi-heure avant mon atelier de céramique.

....

d. Clothilde a découvert un restaurant où le chef prépare seulement des insectes !

....

e. Sarah ne veut pas sortir ce soir parce qu'elle a seulement 10 euros à dépenser ce week-end.

....

f. La programmation de ce festival n'est pas très variée : il y a seulement des groupes de reggae !

....

/3

| Comptez 0,25 point par bonne réponse.

8 La liaison et l'enchaînement vocalique
Barrez les lettres finales non prononcées et notez les liaisons et les enchaînements vocaliques.

a. Quels beaux enfants !

b. Quels prix attractifs !

c. Quelles grandes œuvres !

d. Quels objets amusants !

/1,25

| Comptez 0,25 point par phrase correcte.

9 Le son [ʀ]
Soulignez les mots qui contiennent le son [ʀ].

a. Il va parler à Pierre.

b. Il mangera avec Carine.

c. Ça va plaire à Bernard.

d. On ira dîner au restaurant ce soir.

e. Il est arrivé en retard.

/1,25

Résultats : .... /20 points

⑦ Consommer autrement

LEXIQUE La crise économique

Point Récap', livre p. 146

① Retrouvez les mots cachés dans cette grille. Attention, les mots peuvent être à l'horizontale (← →), à la verticale (↑ ↓) ou en diagonale (↖ ↗ ↙ ↘). Avec les lettres qui restent, découvrez l'expression contraire de « crise économique ».

Les mots cachés sont : chômage – crise – dette – faillite – indignés – krach – marché – précarité - prêt

L'expression contraire de « crise économique » est :

_ _ _ _ _ _ _ _ _   _ _ _ _ _ _ _ _ _

c	r	o	i	h	m	s	e	s
p	r	é	c	a	r	i	t	é
s	a	a	r	n	t	c	t	n
e	r	c	é	c	ê	o	e	g
k	h	e	s	i	r	c	d	i
é	n	o	m	i	p	q	u	d
f	a	i	l	l	t	i	t	e	n
c	h	ô	m	a	g	e	e	i

② Dites si ces propositions sont vraies ou fausses.

	Vrai	Faux
a. Il existe des billets de 5 euros.	✓	
b. Quand on achète quelque chose, on peut payer par chéquier.		✓
c. « Payer en liquide » signifie payer avec des pièces et des billets.	✓	
d. On peut retirer de l'argent avec une carte bancaire.	✓	
e. On met les pièces et les billets dans un porte-manteau.		✓

> **Lexique**
> Quand on fait un achat, on peut :
> • payer « en espèces » ou payer « en liquide », c'est-à-dire payer avec des pièces et des billets.
> • payer par carte.
> • payer par chèque.
> Pour avoir « des espèces » ou « du liquide », il faut retirer de l'argent à la banque.

③ Voici l'histoire de Jean-Pierre. Associez les images à la phrase correspondante.

a. Jean-Pierre et Enzo vont à la banque. Ils demandent un prêt pour financer leur projet.
b. L'entreprise Penault est touchée par la crise, elle a fait faillite.
c. C'est le jour d'ouverture du camion Rimini Pizza. Il y a déjà de nombreux clients.
d. Jean-Pierre a une idée, il propose à Enzo d'ouvrir un camion à pizza.
e. Les anciens salariés de cette entreprise, Jean-Pierre et Enzo, sont au chômage, ils réfléchissent à un projet.

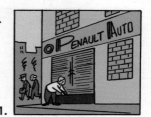

1.

2.

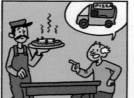
3.

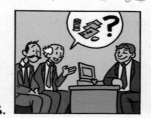
4.

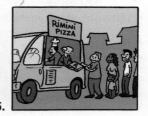
5.

GRAMMAIRE Conjugaison : *produire*

4 Complétez avec le verbe conjugué au présent.

Exemple : Il est traducteur. Il <u>traduit</u> des articles en français.

a. Vous êtes producteurs de fruits et légumes. Vous ....
des fruits et des légumes.
b. Peugeot, Citroën et Renault sont des constructeurs automobiles.
Ces entreprises .... des voitures.
c. Je suis conducteur de bus. Je .... des bus.
d. La crise économique est destructrice d'emplois. Elle ....
beaucoup d'emplois.
e. Nous sommes traductrices. Nous .... des textes anglais
en français.

> 💡 **Rappel grammaire**
> Le verbe *produire* est
> un verbe du 3e groupe.
> Les terminaisons du présent
> sont : -s / -s / -t / -ons / -ez /
> -ent. Les verbes en -uire,
> comme *conduire* ou *traduire*
> se conjuguent sur ce modèle.
> Je produi<u>s</u>
> Tu produi<u>s</u>
> Il, elle, on produi<u>t</u>
> Nous produis<u>ons</u>
> Vous produis<u>ez</u>
> Ils, elles produis<u>ent</u>

GRAMMAIRE La cause et la conséquence

→ Point Récap', livre p. 147

**5 Dans ces phrases, exprime-t-on la cause ou la conséquence ?
Cochez la bonne réponse.**

	Expression de la cause	Expression de la conséquence
a. La banque m'a accordé un prêt, alors je peux acheter une maison.		
b. Les petits commerçants sont en colère car un supermarché vient d'ouvrir dans mon quartier.		
c. Ça fait trois ans que je travaille dans cette entreprise, c'est pourquoi j'ai eu une augmentation de salaire.		
d. Il a trouvé du travail, donc il peut rembourser ses dettes.		
e. Il va voyager à Tokyo parce qu'il voudrait ouvrir une boulangerie là-bas.		

**6 Complétez les phrases avec l'expression de cause ou de conséquence
qui convient.**

à cause de – parce que – grâce à – alors
a. Les gens font attention à leurs dépenses .... la crise.
b. Ils préfèrent acheter leurs fruits et leurs légumes au marché
.... c'est moins cher.
c. Ils souhaitent moins utiliser leur voiture, ... ils font du
covoiturage.
d. Ils peuvent facilement échanger ou louer des objets ....
certains sites Internet.

> 💡 **Rappel grammaire**
> • À cause de la crise, cette
> entreprise a fermé.
> → Expression de la cause
> avec un résultat négatif.
> • Grâce à ses compétences,
> il a trouvé du travail.
> → Expression de la cause
> avec un résultat positif.

7 Ces 3 personnes sont touchées par la crise. Écoutez-les et reconstituez ces phrases. 🔊 43

1. Samia est étudiante et n'a pas de revenus, ● ● **a.** grâce à la colocation.

2. Samia fait beaucoup d'économies ● ● **b.** alors elle vit en colocation.

3. Maria travaille loin de chez elle ● ● **c.** alors elle s'est inscrite sur un site d'échange de services.

4. Maria achète des œufs et des poulets à ses voisins ● ● **d.** donc elle fait du covoiturage pour aller au bureau.

5. Julie ne trouve pas de travail ● ● **e.** parce que c'est moins cher.

6. Julie n'a pas besoin de payer les réparations de sa voiture ● ● **f.** car elle a aidé un garagiste qui voulait créer son entreprise.

GRAMMAIRE Les déterminants indéfinis

→ Point Récap', livre p. 147

8 Complétez les phrases avec le déterminant indéfini qui convient.

quelques – peu de – chaque – aucun – beaucoup d'

a. Moi, j'essaie d'avoir une consommation responsable. J'achète

.... objets d'occasion : presque tous mes livres, des vêtements, des jouets pour les enfants...

b. Je fais pousser .... légumes dans mon jardin. J'ai des radis et deux pieds de tomates seulement.

c. Je n'achète .... objet inutile.

d. .... année, avec des voisins, nous organisons un vide-greniers. Nous vendons les vêtements qui sont trop petits pour nos enfants et les jouets qu'ils n'utilisent plus.

e. Par contre, j'ai .... temps, alors je fais souvent mes courses au supermarché. Je vais rarement au marché.

> 💡 **Rappel grammaire**
> • « peu de » + nom singulier = qu'on ne peut pas compter ;
> « peu de » + nom pluriel = qu'on peut compter.
> *Ex.* : peu de temps, peu de personnes. « Peu de » est le contraire de « beaucoup de ».
> • Quelques, certain(e)s + nom pluriel = qu'on peu compter.
> *Ex.* : quelques personnes, certaines personnes.

9 Exprimez la même idée en utilisant un déterminant indéfini.

a. 7 % des personnes interrogées ont déjà loué leurs biens à d'autres particuliers = ... personnes interrogées ont déjà loué leurs biens à d'autres particuliers.

b. 23 % des personnes interrogées ont déjà participé à des achats en commun = ... personnes interrogées ont déjà participé à des achats en commun.

c. 52 % des personnes interrogées ont déjà vendu leurs biens à d'autres particuliers = ... personnes interrogées ont déjà vendu leurs biens à d'autres particuliers.

10 Complétez ces résultats en utilisant des déterminants indéfinis.

Avez-vous déjà acheté un bien d'occasion ?

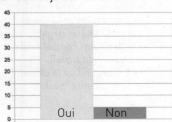

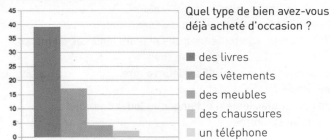

Quel type de bien avez-vous déjà acheté d'occasion ?

■ des livres
■ des vêtements
■ des meubles
■ des chaussures
■ un téléphone

Dans le cadre de notre enquête sur la consommation, nous avons interrogé une cinquantaine d'étudiants.
Voici leurs réponses :

a. .... étudiants n'ont jamais acheté de bien d'occasion.

b. .... étudiants ont déjà acheté des livres d'occasion.

c. .... étudiants ont déjà acheté des vêtements d'occasion.

d. .... étudiants ont déjà acheté des meubles ou des chaussures d'occasion.

e. .... étudiant n'a acheté de téléphone d'occasion.

LEXIQUE Les statistiques

→ Point Récap', livre p. 146

11 **Que représente la partie orange de chaque image ? Complétez avec l'expression qui convient.**

le quart – la moitié – le tiers – les trois quarts

  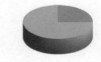

a. ....   **b.** ....   **c.** ....   **d.** ....

12 **À l'aide du document, complétez ce texte avec les mots et expressions suivants.**

les trois-quarts – plus de la moitié – pourcentages – presque un tiers – plus du tiers

Tout d'abord, si on additionne les ....,
on constate que .... des Français
utilisent différents moyens de transport.
On voit qu'en 2013, ... des Français
utilisent la voiture pour leurs déplacements et
.... des Français se déplacent à pied.
D'autre part, ... des personnes utilisent
les transports en commun (15 % pour le métro et
15 % pour le bus). Les Français qui se déplacent à vélo
représentent 12 % des personnes interrogées. Enfin,
seulement 7 % des Français prennent le train tous
les jours.

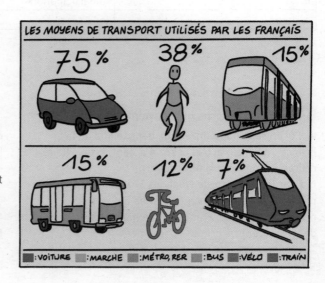

13 Écoutez et dites si ces propositions sont vraies ou fausses. 🔊 44

	Vrai	Faux
a. La grande majorité des personnes savent qu'avoir une consommation responsable peut aider à protéger l'environnement.		
b. Plus des trois-quarts des personnes font attention à l'environnement quand elles font leurs courses.		
c. Un peu plus de la moitié des personnes achètent des fruits et légumes locaux.		
d. Un quart des personnes évitent d'acheter des produits jetables.		
e. 25 % des personnes achètent des produits biologiques.		
f. 2 % des personnes vont faire les courses à pied, à vélo ou en bus.		

LEXIQUE Le commerce participatif, l'argent et la banque

→ Point Récap', livre p. 146

14 Complétez le tableau avec les mots manquants selon l'exemple.

le verbe	le nom (l'action)	le nom (la personne)
consommer	la consommation	un consommateur
a.	la	un contributeur
b.	la participation	un ....
c. créer	la	un ....

15 Entourez le verbe qui convient.

a. J'ai envie de faire un voyage dans le sud de la France, mais je n'ai pas assez d'argent, je dois (faire – retirer – économiser) de l'argent.

b. Pour les cadeaux de Noël, les Français (dépensent – prêtent – empruntent) en moyenne 500 euros.

c. Avec la crise, les Français ont changé leur façon de (consommer – prêter – participer).

d. Quand ils font leurs courses, les Français (dépensent – achètent – paient) généralement par carte bancaire.

e. J'ai (participé – acheté – consommé) à un concours organisé par une marque de vêtements et j'ai gagné 1 000 euros !

f. Certaines grandes marques demandent aux consommateurs de (faire – contribuer – acquérir) à la création d'un produit.

16 Complétez ces annonces avec les mots suivants.

financez – imaginez – gagnez – participez – votez – marque – consommateur – contribution

a.

> **DANIA – LAIT**
> Votre .... préférée
> .... pour votre nouveau
> parfum de yaourt !

b.

> Avec Ren-Info,
> devenez un .... actif !
> ....
> à la création du nouveau logo
> **Renseignez-vous sur** www.renano.fr

c.

> *Rimini Pizza*
> ❶ Connectez-vous au site rimini-pizza.fr
> ❷ .... la pizza de vos rêves !
> ❸ .... peut-être 5000 euros

d.

> **Bientôt un nouveau restaurant près de chez vous ?**
> Aidez-nous, ... notre projet.
> Pour une .... de 10 euros, vous serez invité à un cours de cuisine.
> Pour une participation de 20 euros, vous gagnerez un repas pour deux personnes.

GRAMMAIRE L'hypothèse au présent

→ Point Récap', livre p. 147

17 Qu'expriment ces phrases ? Cochez la bonne réponse.

	Résultat attendu	Généralité	Ordre	Conseil
a. Si on a plus de 16 ans, on peut avoir une carte bancaire.				
b. Si tu économises de l'argent, tu pourras acheter un vélo.				
c Si tu quittes la pièce, éteins la lumière !				
d. Si vous voulez aider les petits producteurs, achetez vos fruits et vos légumes au marché.				
e. Si vous êtes créatif, vous pouvez participer au concours de la marque Ezéa.				
f. Si votre création est sélectionnée, vous gagnerez un appareil photo.				

💡 **Rappel grammaire**

Si on mange trop de bonbons, on tombe malade. → Expression d'une généralité.
Si tu ne veux pas travailler, sors ! → Expression d'un ordre.
Si tu ne comprends pas, demande au professeur ! → Expression d'un conseil.

18 Associez le début et la fin des phrases.

1. S'il retrouve un emploi,
2. Si cette entreprise fait faillite,
3. Si nous avons un troisième enfant,
4. Si vous voulez acheter cet appartement,
5. Si leurs salaires n'augmentent pas,

a. nous changerons de voiture.
b. 20 employés se retrouveront au chômage.
c. il pourra payer ses dettes.
d. les employés protesteront.
e. vous devrez emprunter de l'argent à la banque.

19 À l'aide des dessins, écrivez une phrase exprimant l'hypothèse.

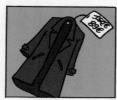

a.
S'ils font des achats en commun, ...
....
....

b.
Si les vêtements de vos enfants sont trop petits, ...
....
....

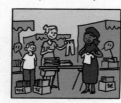

c.
S'il fait du covoiturage, ...
....
....

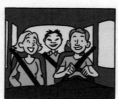

d.
Si tu achètes des légumes de saison, ...
....
....

GRAMMAIRE Les adverbes en -*ment*

→ Point Récap', livre p. 147

20 Choisissez la terminaison correcte des verbes.

Exemple : lent → lent (ment – (ement) – emment)

a. sérieux → sérieu (ment – sement – semment)

b. différent → différ (entement – ement – emment)

c. sûr → sûr (ment – ement – emment)

d. courant → cour (antement – emment – amment)

e. éternel → éternel (ment – lement – emment)

f. positif → positi (ment – fement – vement)

21 Complétez avec les adverbes suivants.

heureusement – récemment – généralement – actuellement – régulièrement

— Est-ce que tu as vu Antoine .... ?

— Oui, il a changé de vie. Il a quitté son poste de prof et a commencé une formation en agriculture. Puis, il est devenu producteur de fruits et légumes bio. Au début, c'était difficile. Ses arbres fruitiers étaient .... malades, l'été a été très sec. Mais, ... , ça va mieux maintenant. Son frère s'est associé avec lui et ils travaillent ensemble.

— À deux c'est plus facile .... !

— C'est vrai ! .... , il vend ses produits au marché mais il voudrait aussi ouvrir un petit magasin d'alimentation bio.

22 Écoutez et complétez le texte avec des adverbes. 🔊 45

Marc et Sophie ont décidé de changer leur façon de vivre. Maintenant, ils vivent <u>simplement</u>. Ils ont modifié leurs habitudes de consommation, ils vivent .... Par exemple, ils veulent manger ...., ils limitent leur consommation de viande et choisissent des produits frais et naturels. Ils ont décidé de consommer .... : ils préfèrent louer ou acheter des objets d'occasion plutôt que d'acheter des objets neufs. Ils se déplacent ...., ils utilisent très peu leur voiture. Ils ont changé leurs habitudes .... et ils se sont adaptés à leur nouvelle vie ....

PHONÉTIQUE L'enchaînement consonantique

23 **Notez les enchaînements consonantiques.**

a. Des films intéressants.

b. Des hommes importants.

c. Des pièces originales.

d. Des tarifs abordables.

e. Des arômes épicés.

f. Des saveurs inédites.

g. Des auteurs à succès.

h. Des artistes aimés.

i. Des chanteurs anglophones.

PHONÉTIQUE Les sons [ɛ̃] et [ã]

24 **Complétez avec les mots suivants.**

symbole – commun – lien – moyen – voisin – sain – biens – synthèse

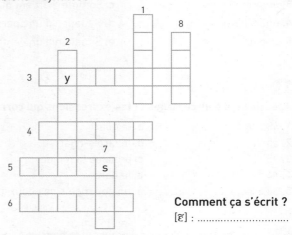

Comment ça s'écrit ?
[ɛ̃] : ....

PRODUCTION ORALE Exprimer sa désapprobation

25 **Pierre a décidé de vivre autrement. Il veut quitter son emploi, s'installer à la campagne et élever des chèvres pour produire du fromage. Il parle de ses projets à sa femme. Elle n'est pas d'accord...** 🔊 46

Écoutez et complétez le dialogue avec les paroles de sa femme.

PRODUCTION ÉCRITE Écrire un manifeste

26 **Vous pensez que les transports en commun sont trop chers. Vous écrivez un manifeste pour demander une baisse du prix des transports en commun.**

**Dans une première partie, vous montrez les avantages des transports en commun.
Dans une seconde partie, vous exposez votre demande.**

> Billet de train Lyon-Paris : 75,30 €
> Ticket de bus : 2 €
> Ticket de métro : 1,70 €

....
....
....
....
....
....
....

BILAN

Comptez 0,5 point par bonne réponse.

1 La crise économique

Associez le mot avec la définition correspondante.

1. le chômage ●   ● **a.** Somme d'argent prêtée

2. la précarité ●   ● **b.** Situation instable, fragile

3. un prêt ●   ● **c.** Somme d'argent qu'on doit rembourser

4. une faillite ●   ● **d.** Situation d'une personne qui n'a pas de travail

5. une dette ●   ● **e.** Situation d'une entreprise qui ne peut plus payer ses dettes   /2,5

2 Les statistiques

Associez les pourcentages et les expressions qui correspondent.

1. 48,5 % ●   ● **a.** le quart

2. 25 % ●   ● **b.** les trois-quarts

3. 75 % ●   ● **c.** presque la moitié

4. 64 % ●   ● **d.** le tiers

5. 33,3 % ●   ● **e.** un peu moins des deux-tiers   /2,5

3 Le commerce participatif, l'argent et la banque

Complétez ces définitions.

a. Prendre part = ...

b. Prendre de l'argent = ...

c. Contraire de dépenser = ...

d. Lieu où on peut ouvrir un compte, prendre de l'argent, etc. = ...

e. Nom d'une entreprise = ...   /2,5

4 La cause et la conséquence

Remettez les mots des phrases suivantes dans l'ordre.

Voici l'histoire de David :

a. David / sa formation / alors / un emploi / d'électricien / il cherche / a fini

....

b. Il ne trouve pas / à cause de / de travail / la crise économique

....

c. ce pays / en Norvège / Il veut partir / est moins touché / parce que / par la crise

....

d. donc / norvégien / cette langue / il apprend / Il ne parle pas

....

e. David / La Norvège / veut / manque de main-d'œuvre* / s'installer là-bas / c'est pourquoi

....

* *la main-d'œuvre : l'ensemble des travailleurs*   /2,5

5 Les déterminants indéfinis

Entourez le déterminant qui convient.

a. Si (chaque – beaucoup de – certaines) personne fait attention à sa consommation, les ressources naturelles s'épuiseront moins vite.
b. Pour Noël, j'achète (aucun – chaque - beaucoup de) cadeaux non-matériels, comme une place de concert ou un dîner au restaurant.
c. Tout le monde fait attention à sa santé, mais (peu de – chaque – plusieurs) personnes achètent des produits bio.

d. (Chaque - Certains – Aucun) sites, comme www.leboncoin.fr ou www.topannonces.fr, permettent d'acheter ou de vendre des biens d'occasion.
e. C'est étonnant de voir que (plusieurs – beaucoup de – peu de) personnes pratiquent le covoiturage : seulement 8 %.

/2,5

6 L'hypothèse au présent

Conjuguez les verbes entre parenthèses pour exprimer l'hypothèse.

a. S'il .... (faire) beau demain, j'.................... (aller) travailler à vélo.
b. Si vous .... (éteindre) vos appareils électriques, vous .... (économiser) de l'énergie.
c. Si nous .... (vivre) sans argent, nous .... (échanger) nos compétences contre des produits.
d. Si elle .... (adhérer) à une AMAP, elle .... (manger) des légumes frais toute l'année.
e. Si vous .... (partager) votre machine à laver, vos voisins .... (ne pas avoir) besoin d'en acheter une.

/2,5

7 Les adverbes en -ment

Complétez les phrases avec l'adverbe correspondant à l'adjectif souligné.

Exemple : Ce professeur est clair. Il explique très clairement.

a. Ce train est très confortable, nous voyageons ....
b. Il est lent, il travaille ....

c. Ils sont patients, ils ont attendu le bus ....
d. Vous êtes prudents, vous conduisez ....
e. Il est actif, il recherche du travail ....

/2,5

> Comptez 0,25 point pour 2 bonnes réponses.

8 L'enchaînement consonantique

Barrez les lettres finales non prononcées et notez les enchaînements consonantiques.

La crise économique accroît les tensions sociales et souvent, elle entraîne une forte augmentation du chômage et une baisse importante de la consommation. Un nouvel équilibre reste à inventer.

/1,25

9 Les sons [ɛ̃] et [ã]

Soulignez les mots qui contiennent les sons [ɛ̃] et [ã] avec deux couleurs différentes.

Ce matin, j'ai demandé à Jean de me rendre le livre qu'il m'a emprunté il y a maintenant cinq ans.

/1,25

Résultats : .... /20 points

(8) S'engager pour une cause

LEXIQUE Les problèmes sociaux et l'engagement

→ Point Récap', livre p. 164

1 Complétez le texte avec les mots suivants.

galère – besoin – difficultés – problèmes - revenus

Salut Dounia,

Comment vas-tu ? Moi je commence ma 3ᵉ semaine de stage à Los Angeles et j'ai encore un peu de mal à m'habituer à ce nouvel environnement. Avec la crise, je crois que de nombreuses personnes se sont retrouvées dans le ....

C'est vrai qu'en France les gens connaissent aussi des .... Et c'est la même

.... pour trouver un appartement, encore plus quand on a de faibles ....

Il n'y a pas que des .... ! Il y a aussi le soleil, la plage, les magasins...

Et toi, ce stage à Dublin ? Écris-moi vite pour me raconter,

Bises,

Marie-Édith

2 Associez les situations aux expressions.

1. Max travaille gratuitement pour la Croix Rouge.

2. Je pense aller manifester pour la défense des abeilles.

3. Lou rencontre le maire pour organiser la construction d'un hôpital à l'île Maurice.

4. Ton frère est très content de participer au marathon de Handicap International.

5. Mon père appelle toutes les banques car il a besoin d'argent pour l'association.

a. monter un projet

b. collecter des fonds

c. être bénévole

d. se sentir utile

e. soutenir une cause

3 Écoutez l'appel radio lancé par *Les Restos du cœur* puis complétez les slogans pour inviter les gens à s'engager ou à faire des dons.

🔊 47

Exemple :

Vous voulez vraiment changer les choses : <u>Engagez-vous</u> avec nous !

a. Un petit geste pour Noël !

Donnez contre ....

Donnez au profit des ....

b. Merci de votre ....

Les restos du cœur collectent ....

c. Notre cause est la vôtre

Notre défi ....

Rejoignez-nous !

d. On a besoin ....

Devenez ....

> ### Culture
> *Les Restos du cœur* sont une association française. Ils ont pour but d'aider les personnes démunies en leur donnant accès à des repas gratuits.

GRAMMAIRE Conjugaison : *vaincre*

4 Cochez la forme correcte du verbe *vaincre* au présent.

> **Rappel grammaire**
> *vaincre* est un verbe du 3e groupe. Comme *convaincre*, le pluriel se forme avec les lettres « qu », au singulier, le « c » ne se prononce pas.

a. C'est dans l'effort qu'on ☐ vainct ☐ vaint ☐ vainc les difficultés.

b. En pratiquant du sport, vous ☐ vainquiez ☐ vainquez ☐ vaincrez votre stress.

c. Je ☐ vainc ☐ vaincs ☐ vains ma timidité en faisant du théâtre.

d. Mes petits frères ☐ vainquent ☐ vaincent ☐ vaincrent leur peur du noir en se racontant de belles histoires.

e. Avec un bon traitement médical et du courage, tu ☐ vains ☐ vaincs ☐ vainces les maladies plus facilement.

f. Tous les ans, au concours d'équitation, nous ☐ vaincrons ☐ vaincons ☐ vainquons nos adversaires.

GRAMMAIRE L'hypothèse à l'imparfait

→ Point Récap', livre p. 165

5 Édouard explique son engagement comme bénévole dans une association. Complétez l'article avec les verbes ci-dessous et conjuguez-les au temps qui convient.

se sentir – apprécier – être – évoluer – marcher – s'engager

Cela faisait longtemps que j'y pensais et puis un jour, je me suis dit : « Si tu .... dans le besoin, tu .... vraiment toute l'aide possible ! ». Je me suis alors renseigné et j'ai finalement contacté l'association « Autre monde ».
Ça me plaît vraiment et si plus de personnes .... dans l'aide humanitaire, les choses .... et ils .... plus utiles, plus concernés.
Bien sûr avec des « si », on peut rêver mais je me dis « et si ça .... ? »

6 Complétez les phrases pour exprimer une hypothèse.

a. Si j'avais le temps, ...
b. ...., je ne referais pas les mêmes erreurs.
c. ...., si les femmes gouvernaient le monde !
d. Si je n'étais pas né au XXe siècle, ...
e. Vous vous sentiriez plus utiles, ...

7 Reliez chaque personne à l'hypothèse qu'il énonce. 🔊 48

1. Si j'étais un homme politique, les armes seraient interdites.

2. Si j'étais plus âgé, je serais pris plus au sérieux par mes collègues.

3. Si on pouvait faire un vœu et changer sa vie, je choisirais d'être joueur de tennis professionnel.

4. Si on pouvait choisir un autre métier, je serais pompier.

● **a.** Guillaume
● **b.** Lucas
● **c.** Amina
● **d.** Ludovic

LEXIQUE Le sport

→ Point Récap', livre p. 164

8 Barrez l'intrus dans ces groupes de mots.

a.	athlète	–	marathon	–	course	–	judo
b.	champion	–	sportif	–	vainqueur	–	gagnant
c.	jeu	–	épreuve	–	compétition	–	énergie
d.	tapis	–	équipement	–	matériel	–	médaille
e.	coureur	–	athlète	–	sport	–	joueur

9 Complétez le texte avec les mots ci-dessous.

olympique – a franchi – pratique – championne – épreuves – médaille

Portrait d'une .... de natation : Laure Manaudou

Laure Manaudou est une nageuse française née le 9 octobre 1986.

Elle .... les 4 nages.

Elle a remporté la .... d'or .... sur 400 mètres en 2004.

Elle .... toutes les .... européennes et mondiales et a gagné des courses sur toutes les distances : 50 m, 100 m, 200 m, 400 m, etc.

Aujourd'hui, elle a arrêté les compétitions mais elle pratique encore la natation pour son plaisir.

À présent, c'est son frère, Florent Manaudou, qui remporte des médailles.

10 Écoutez et mettez les phrases dans l'ordre pour reconstituer le résumé de l'étape du Tour de France. 🔊 49

a. 11 cyclistes sont tombés à quelques kilomètres de l'arrivée.

b. L'étape du Tour de France du jour commence à 10 h 45.

c. Un groupe de cyclistes a tout de suite pris 8 minutes d'avance sur le reste des sportifs.

d. Le grand vainqueur est Rui Costa qui a franchi la ligne d'arrivée à 16 h 37.

e. Cette étape est très difficile, les cyclistes ont beaucoup souffert.

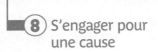
GRAMMAIRE Le but

→ Point Récap', livre p. 165

11 Cochez les phrases qui expriment le but.

☐ **a.** Pour Elias et Lucas, l'année scolaire a été difficile car ils ont eu beaucoup de devoirs à la maison.

☐ **b.** Pour que Nathan puisse partir en vacances cet été, il devra s'inscrire à l'association « solidarité vacances ».

☐ **c.** Alexandrine travaille comme médecin dans un hôpital du Zimbabwe pour valider son stage de fin d'année.

☐ **d.** Lina et Pierre vont habiter à Tahiti pour l'année qui vient.

☐ **e.** La famille de Timého va accueillir un petit garçon malien afin de lui permettre de se faire opérer du cœur.

☐ **f.** Pour la semaine prochaine, je dois finir un exposé sur la pauvreté dans les pays riches.

12 À l'aide des 2 phrases proposées, écrivez une seule phrase qui exprimera le but.
Utilisez *pour que*, *pour*, et *afin de*.

Exemple : Il faut donner de son temps. Il faut aider les gens dans le besoin.
→ Il faut donner de son temps pour aider les gens dans le besoin.

a. Kevin est parti au Japon. Au Japon, Kevin travaille comme ingénieur.
....

b. Les associations aident les gens. Les gens vivent mieux.
....

c. Il faut beaucoup de dons. Il faut acheter de la nourriture.
....

d. Liliane a proposé des cours de soutien. Elle accompagne les élèves en difficulté.
....

13 Écoutez ce bénévole qui explique pourquoi il faut s'engager dans l'humanitaire puis répondez aux questions. 🔊 50

a. Les associations à but humanitaire font de la publicité
☐ pour récolter de l'argent.
☐ afin d'informer les gens des moyens de s'engager.
☐ pour faire découvrir un pays étranger.

b. Les personnes choisissent de s'engager
☐ pour ne pas perdre leur temps.
☐ pour se rendre compte des inégalités.
☐ pour se sentir plus utiles.

c. Les bénévoles acceptent des missions à l'étranger
☐ afin de rencontrer des personnes plus démunies que dans leur pays.
☐ pour voir les difficultés des autres pays.
☐ pour s'ouvrir à d'autres cultures.

d. Les personnes âgées s'engagent dans des associations
☐ pour faire partie d'un groupe.
☐ pour rester dynamiques et rencontrer des gens.
☐ afin de rencontrer des gens dans le besoin.

14 **Associez les dessins au vocabulaire.**

un hôpital – un patient – une blessure – être en bonne santé – un médecin – une infirmière

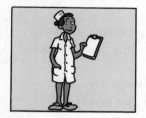

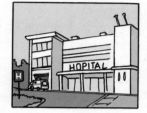

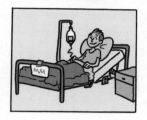

a. .... b. .... c. ....

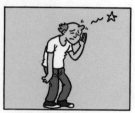

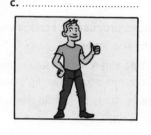

d. .... e. .... f. ....

15 **Votre ami est toujours fatigué. Il vous demande des conseils pour être en bonne santé. Complétez le dialogue.**

— Je ne comprends pas, je suis toujours fatigué et toi toujours en pleine forme.
Comment fais-tu pour être en bonne santé ?

— Je fais beaucoup de sports. J'aime beaucoup ....

— Ah non, je ne fais pas de sport, j'ai du mal à me motiver, comment faire ?

— ....

— Je pense aussi que je ne dois pas manger assez équilibré, je saute des repas
et je mange beaucoup de chocolat.

— ....

— Non, je vais rarement chez le médecin. Tu as peut-être raison. Et c'est tout ?

— ....

— C'est vrai que je ne bois pas assez d'eau, j'y penserai maintenant !

16 **Écoutez ces phrases et dites dans quelle situation elles ont été prononcées.** 🔊 **51**

a. Une annonce à l'intention d'un médecin à l'hôpital.

b. Une infirmière à un patient à l'hôpital.

c. Un patient qui va être hospitalisé.

d. Un assistant médical parle au docteur chez le médecin.

e. Une personne qui souffre d'un rhume.

f. Une personne qui vient de se blesser.

Phrases	1	2	3	4	5	6
Situations						

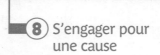

GRAMMAIRE Le passif

→ Point Récap', livre p. 165

17 Entourez les verbes au passif.

D'après une étude qui a été menée par le ministère de la jeunesse et des sports, 39 % des Français font du sport environ 5 heures par semaine.
Le football arrive en première position et est pratiqué en club par plus de 2 millions de personnes, arrivent ensuite le tennis, le judo et la pétanque même si ce dernier était considéré jusqu'à présent plus comme un moment de détente qu'un véritable sport.

Dans les 10 sports les plus pratiqués par les Français, on retrouve le ski, le golf, l'équitation ou la voile qui sont appréciés par plus de 200 000 personnes inscrites dans des associations sportives.
Mais les pratiques sportives évoluent rapidement ; les femmes sont de plus en plus nombreuses en club par exemple. On peut ainsi se demander quels sports seront appréciés par les Français dans 10 ans.

18 Transformez les phrases à la forme passive.

a. En 1998, la France a gagné la coupe du monde de football.

....

b. Les chaînes de télévision paient très cher les retransmissions de compétitions sportives.

....

c. Il y a 20 ans on ne regardait pas autant le sport à la télévision.

....

d. Au cours de leur carrière, les sportifs professionnels gagneront de nombreuses médailles.

....

e. Juste avant la compétition, les journalistes intervieweront tous les joueurs de l'équipe.

....

f. Les coureurs n'ont pas franchi la ligne d'arrivée avant 17 h 30.

....

19 Rédigez des brèves au passif à partir des informations.

Exemple : bijoux / voler
→ Paris. Les bijoux d'une célèbre boutique ont été volés hier soir vers 4 h 00 du matin.

a. un accord / signer

....

b. la médaille d'or / gagner

....

c. les voleurs / arrêter

....

d. le roman de l'année / écrire

....

e de nouvelles peintures / découvrir

....

f. le maire / élire

....

→ Point Récap', livre p. 165

GRAMMAIRE Les doubles pronoms

20 **Remettez les mots dans l'ordre pour reconstituer les phrases.**

a. Corine et Mickaël ont présenté leur nouveau projet à l'équipe.
un / nous / expliqué / ils / peu / ont / l'

....

b. Vos clés ne sont pas dans le bureau ? Demandez à Sébastien.
aviez / les / ? / est-ce que / confiées / lui / vous

....

c. C'était une question difficile pour quelqu'un de son âge.
lui / pas / la / je / posée / ne / ai

....

d. Le marathon a lieu dans 2 mois et Karim était intéressé.
? / avez / en / lui / parlé / est-ce que / vous

....

e. J'espérais qu'on croiserait mes amis à la soirée de samedi.
ne / les / nous / vus / y / pas / avons

....

21 **Transformez les phrases en utilisant des pronoms pour les éléments soulignés.**

Exemple : Patricia a offert un week-end en Normandie à ses parents.
→ Patricia le leur a offert.

a. Sylvie et Anne transmettent toutes les informations à leur responsable.

....

b. Thomas nous a décrit son nouvel appartement.

....

c. Quand on était en vacances en Corse, Astrid a raconté son voyage au Kazakstan à notre groupe.

....

d. De nombreux parents ne veulent pas offrir la console de jeux à leurs enfants.

....

e. Tu as bien dit à ton père que nous arrivions samedi ?

....

f. La semaine dernière, j'ai acheté des fleurs à ma petite amie.

....

> ### Culture
> L'UNICEF est chargé par les Nations Unies de défendre les droits des enfants, d'aider à répondre à leurs besoins essentiels et de favoriser leur plein épanouissement.

22 **M. Fournier et Julie parlent d'une nouvelle mission.**
Indiquez les noms que remplacent les pronoms soulignés dans les phrases de Julie. 🔊 52

a. Oui, je leur en ai déjà parlé et tout le monde est très motivé et enthousiaste. → ....

b. C'est indispensable en effet, j'ai très envie de les y rencontrer. → ....

c. C'est encore un peu tôt, on en a quelques unes : des jeux, des affiches, des vidéos, des rencontres...
→ ....

d. Non pas encore, mais après la réunion de demain, on vous en montrera quelques-uns.
→ ....

e. Oui, c'est vrai ! Je vais également leur en faire part demain. → ....

f. Oui toujours ! Nous nous y retrouverons.
→ ....

PHONÉTIQUE Les sons [u] et [w]

23 Tracez le chemin en passant par les mots qui contiennent le son [w].

Départ				
oui	oie	outil	oublier	douceur
ou	poids	pousser	fourmi	ouvrir
loup	louis	loin	point	soin
journal	jour	pou	sous	soie
amour	souvent	tout	roue	louer

Arrivée

Comment ça s'écrit ?
[w] : ....

PHONÉTIQUE Voyelles orales et voyelles nasales

24 Tracez le chemin en passant par les mots qui contiennent une voyelle nasale.

Départ			
don	donner	bonne	fonctionne
association	voisine	étonner	sonner
prochain	habitant	voisin	pardonner
prochaine	soigner	soin	solutionner
connaître	économie	solution	enfance

Arrivée

Comment ça s'écrit ?
Les voyelles nasales : voyelle orale + n ou m à la fin de la ....,...................

PRODUCTION ORALE Encourager

25 Vous dirigez une troupe de théâtre et ce soir c'est votre première représentation de la pièce *L'Avare* de Molière. Vous préparez le discours que vous allez faire à toute l'équipe (acteurs et techniciens) pour les encourager juste avant l'entrée en scène.

Culture
Molière est un auteur de comédie français du XVIIe siècle. Il a écrit de nombreuses pièces de théâtre comme *Tartuffe* ou *Le Malade imaginaire*.

PRODUCTION ÉCRITE Écrire une lettre à un mécène

26 Vous faites partie d'une association de préservation des animaux en danger. Vous écrivez une lettre à des mécènes pour collecter des fonds.

Vous avez besoin d'argent pour :
• aider les refuges pour animaux abandonnés.
• soigner les animaux malades.
• faire de la publicité (pour demander des dons et sensibiliser).

....
....
....
....
....
....
....

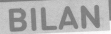

1 Les problèmes sociaux et l'engagement

Entourez l'expression qui convient.

Comptez 0,5 point
par bonne réponse.

a. S'investir dans une association permet de se sentir (important/fier/utile).

b. Plusieurs fois dans l'année les associations font des collectes de (fonds/ronds/gens).

c. Dans notre association, nous voulons (monter un projet/penser un projet/fabriquer un projet) pour l'année prochaine.

d. Cela prend beaucoup de temps de (soulever/soutenir/exprimer) une cause.

e. Il faut encourager les jeunes à (s'engager/s'inscrire/s'organiser) dans des actions humanitaires.

/2,5

2 Le sport

Complétez ces définitions.

Exemple : Relatifs à des jeux qui ont lieu tous les 4 ans = olympiques

a. Commencement de quelque chose = ...

b. Lieu qui marque la fin d'une course = ...

c. Récompense sportive = ...

d. Ensemble de sports individuels comme la course, le saut, le lancer... = ...

e. Compétition sportive = ...

/2,5

3 La santé

Reliez les mots à leur définition.

1. Un médecin •
2. Un patient •
3. Une blessure •
4. Souffrir •
5. Un infirmier •

• **a.** S'occupe des malades sous la direction d'un médecin
• **b.** Soigne les maladies et blessures
• **c.** Avoir mal
• **d.** Personne malade ou souffrante
• **e.** Provoquée par un coup, un choc

/2,5

4 L'hypothèse à l'imparfait

Dorian et Aurélie discutent de leur prochain voyage. Complétez le dialogue en conjuguant les verbes entre parenthèses au temps qui convient.

Dorian : Si on .... (avoir) les moyens, j'.................. (aimer) bien qu'on parte très loin pour une fois...

Aurélie : Tu dis ça tous les ans mais je crois qu'on n'aura jamais vraiment assez d'argent pour partir aux Maldives dans un hôtel 5 étoiles !

Dorian : Je pensais plutôt à un voyage économique, faire du camping par exemple, si tu y .... (réfléchir) ?

Aurélie : Tu veux dire envisager une destination lointaine possible, par exemple ?

Dorian : Oui, vois ça comme de l'éco tourisme. Et si je nous .... (trouver) un super voyage pas trop cher : on .... (dormir) chez les gens en échange de services par exemple !

/2,5

5 Le but

Complétez le texte avec *pour*, *afin de* ou *pour que*.

Le milieu médical est d'accord sur un point : la pratique d'un sport est une d'une grande aide .... se maintenir en bonne santé. .... garder la forme, les médecins conseillent à leurs patients de faire des exercices régulièrement et de manger équilibré. Éviter le stress est également un élément essentiel .... les gens gardent un esprit sain dans un corps sain. Ainsi, ... leurs clients soient détendus, les salles de sport proposent des cours de yoga.

/2,5

6 Le passif

Soulignez le verbe conjugué au temps qui convient.

a. Quand je me suis cassé la jambe, j'(étais pris/ai été pris/suis pris) en charge par le personnel médical de l'hôpital Saint-Antoine.
b. En 50 ans, de grandes avancées médicales (étaient faites/ont été faites/seront faites) par les chercheurs.
c. Si tu te blesses parce que tu n'as pas mis tes protections, l'entraîneur (ne sera pas /n'aura pas été /n'est pas) content.

d. L'année de mes 10 ans, j'(ai été hospitalisée/suis hospitalisée/serai hospitalisée) pendant un jour.
e. L'hiver prochain, la grippe (a été attrapée /sera attrapée/est attrapée) par les personnes les plus fragiles, donc les personnes âgées et les enfants.

/2,5

7 Les doubles pronoms

Complétez les phrases avec le pronom qui convient.
lui – y – leur – en – la – le
a. Mes frères voulaient des montres. Mes parents leur .... ont offert pour leur anniversaire.
b. Il est important de lutter pour défendre les animaux en danger : Pierre .... leur a bien fait comprendre.
c. Mon cousin est à l'hôpital et ses livres lui manquent. Avec toute ma famille, on les .... a envoyés.

d. Emeline et Anastasia ont reçu un colis de leurs correspondantes polonaises. Elles .... en ont envoyé aussi.
e. Mathias a reçu une lettre de sa grand-mère. Nous .... lui avons lue.
f. Dimanche, à la fête du village, on espérait croiser nos voisins mais on ne les .... a pas vus.

/3

> Comptez 0,25 point pour 2 bonnes réponses.

8 Les sons [u] et [w]

Soulignez les mots qui contiennent les sons [u] et [w] avec deux couleurs différentes.

Aujourd'hui, nous souhaitons créer un endroit pour donner de l'espoir et aider les gens dans le besoin. Cette association nous permettra de récolter des dons pour soigner certaines maladies rares ou méconnues.

/1,25

9 Voyelles orales et voyelles nasales

Soulignez les mots qui contiennent des voyelles orales et des voyelles nasales avec deux couleurs différentes.

a. Elle est très impatiente de te connaître !
b. Elle se demande comment il s'appelle.
c. Tu lui as demandé pardon et il t'a pardonné.
d. Elle fonctionne comment, cette association ? /1,25

Résultats : .... /20 points

9 Repenser le quotidien

→ Point Récap', livre p. 182

LEXIQUE Les profils sociologiques

1 **Voici un questionnaire pour connaître le profil sociologique d'une personne. Complétez-le avec les mots manquants.**

situation de famille – âge – profession – revenus – sexe

a. .... ☐ homme   ☐ femme

b. .... ☐ entre 18 et 35 ans   ☐ entre 35 et 50 ans
☐ entre 50 et 65 ans   ☐ plus de 65 ans

c. .... ☐ agriculteur   ☐ artisan, commerçant
☐ cadre   ☐ professeur, agent administratif
☐ employé   ☐ ouvrier
☐ retraité   ☐ demandeur d'emploi, étudiant

d. .... ☐ moins de 1 200 € / mois   ☐ entre 1 200 et 2 000 € / mois
☐ entre 2 000 et 3 000 € / mois   ☐ plus de 3 000 € / mois

e. .... ☐ célibataire   ☐ en couple   ☐ veuf (ve)   ☐ divorcé(e)

2 **Remettez les lettres dans l'ordre pour former des mots. Puis trouvez le synonyme de « classe sociale ».**

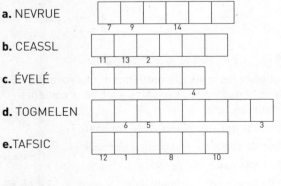

a. NEVRUE

b. CEASSL

c. ÉVELÉ

d. TOGMELEN

e. TAFSIC

f. Le synonyme de
« classe sociale » est :

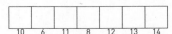

3 Écoutez et complétez le document. 53

Profil sociologique des personnes vivant un dans logement social

☐ entre 18 et 35 ans   ☐ entre 35 et 50 ans
☐ entre 50 et 65 ans   ☐ plus de 65 ans

☐ agriculteur   ☐ artisan, commerçant
☐ cadre   ☐ professeur, agent administratif
☐ employé   ☐ ouvrier
☐ retraité   ☐ demandeur d'emploi, étudiant

☐ moins de 1 200 € / mois   ☐ entre 1 200 et 2 000 €/ mois
☐ entre 2 000 et 3 000 €/ mois   ☐ plus de 3 000 € / mois

☐ célibataire   ☐ en couple
☐ veuf (ve)   ☐ divorcé(e)

☐ sans enfant   ☐ avec 1 ou 2 enfants
☐ avec 3 ou 4 enfants   ☐ avec plus de 4 enfants

Lexique
Un logement social est un logement à faible loyer, construit ou acheté par un organisme privé ou public, proposé à des personnes qui ont des revenus modestes. On parle aussi parfois de HLM : habitation à loyer modéré.

Lexique
Le SMIC est l'abréviation de Salaire Minimum Inter-professionnel de Croissance. C'est le salaire minimum en-dessous duquel aucun salarié ne doit être payé. En 2013, en France le SMIC était de 1 430 € par mois.

GRAMMAIRE Conjugaison : *conclure* et *résoudre*

4 **Conjuguez les verbes pour compléter les phrases.**

a. Le gouvernement .... un accord avec les associations de protection de l'environnement. (conclure)

b. Tu trouves une solution et tu .... ce problème. (résoudre)

c. Je .... le sucre dans mon café chaud. (dissoudre)

d. Nous .... cet étudiant de la salle d'examens parce qu'il triche. (exclure)

e. Vous .... votre lettre par une formule de politesse. (conclure)

f. Les policiers .... cette affaire de vol, ils trouvent le coupable. (résoudre)

💡 **Rappel grammaire**
• Le verbe *conclure* est un verbe du 3e groupe. Les terminaisons du présent sont : -s / -s / -t / -ons / -ez / -ent. Le verbe *exclure* se conjugue aussi sur ce modèle.
je conclu<u>s</u> / tu conclu<u>s</u> / il, elle, on conclu<u>t</u> / nous conclu<u>ons</u> / vous conclu<u>ez</u> / ils, elles conclu<u>ent</u>
• Le verbe *résoudre* est un verbe du 3e groupe. Il a deux radicaux : *résou-* au singulier et *résolv-* au pluriel. Les terminaisons du présent sont : -s / -s / -t / -ons / -ez / -ent. Le verbe *dissoudre* se conjugue aussi sur ce modèle.

GRAMMAIRE L'opposition et la concession

5 Soulignez les phrases qui expriment l'opposition et la concession.

a. Il n'y a pas assez de logements en ville alors certains étudiants vont vivre à la campagne.

b. J'ai peur des animaux même si j'ai grandi à la campagne.

c. Ils préfèrent habiter dans une grande ville malgré le bruit et la pollution.

d. Mon logement est très bien équipé, il y a même un petit lave-vaisselle !

e. J'aime la campagne ; par contre, je ne pourrais pas vivre dans une maison isolée, sans voisins.

f. Mon appartement est trop petit mais je n'ai pas envie de déménager.

6 Complétez les phrases en exprimant l'opposition ou la concession à l'aide des éléments donnés.

a. Son appartement est grand et bien situé / il n'est pas très lumineux / par contre

Son appartement est grand et bien situé ....

b. Il ne veut pas prendre de locataires / la solitude / malgré

Il ne veut pas prendre de locataires ....

c. La maison de mes parents fait 150 m² / mon studio fait 16 m² / alors que

La maison de mes parents fait 150 m² ....

d. Je ne veux pas quitter Lille / j'ai trouvé du travail à Paris / même si

Je ne veux pas quitter Lille ....

e. Dans cette ville, les loyers ne sont pas très élevés / la crise / malgré

Dans cette ville, les loyers ne sont pas très élevés ....

f. Ils vivent à la campagne / ils travaillent en ville / alors que

Ils vivent à la campagne ....

7 Écoutez ces étudiants qui parlent de leur logement et retrouvez les informations correspondant à chaque étudiant.

1. Vanessa aime son logement ●

2. Chloé a une très bonne relation avec le couple chez qui elle habite ●

3. Paul préfère vivre là ●

4. Yanis est heureux de vivre en colocation ; ●

● **a.** alors que tous ses amis habitent en ville.

● **b.** même si c'est petit.

● **c.** malgré leur âge.

● **d.** par contre, c'est difficile d'étudier dans ces conditions.

GRAMMAIRE *Avant* et *après*

→ Point Récap', livre p. 183

8 Associez le début et la fin des phrases.

1. Avant de m'installer dans ce studio, ●

2. Après avoir fini ses études, ●

3. Après être rentrés du travail, ●

4. Avant le dîner, ●

5. Après avoir équipé leur studio, ●

6. Avant d'aller travailler, le matin, ●

● **a.** ils pourront le louer à des étudiants.

● **b.** j'avais une chambre universitaire.

● **c.** il ira travailler au Brésil.

● **d.** je dépose les enfants à l'école.

● **e.** nous allons toujours à la piscine.

● **f.** je vais me laver les mains.

9 **Complétez le dialogue avec les éléments proposés.**

avoir fait tes devoirs – jouer dehors – avoir allumé son barbecue – le dîner

— Maman ! Est-ce que je peux aller jouer dehors avant .... ?

— Oui, mais tu sortiras après ....

— Mais Alix m'attend pour faire du basket...

— Ne discute pas ! Tu fais tes devoirs avant de .... ! J'irai avec toi voir Alix.

J'ai prêté un sac de charbon à son papa et il ne me l'a pas rendu après ....

10 **Voici le quotidien de Camille. Rédigez des phrases à partir des informations données.**

Exemple : sortir du travail / acheter du pain à la boulangerie

→ Après être sortie du travail, Camille achète du pain à la boulangerie.

a. chercher ses enfants à l'école / prendre le bus

→ Avant ....

b. rentrer à la maison / préparer le dîner

→ Après ....

c. donner le bain à ses enfants / le dîner

→ Avant ....

d. coucher ses enfants / travailler sur son ordinateur

→ Avant ....

e. lire un peu / se coucher

→ Après ....

LEXIQUE **La ville et la campagne**

→ Point Récap', livre p. 182

11 **Associez le mot à l'image qui correspond.**

1. un pavillon
2. une métropole
3. un embouteillage
4. un champ
5. un lotissement

a. ....

b. ....

c. ....

d. ....

e. ....

12 Barrez l'intrus.

a. terrain – métropole – champ
b. arrêt de bus – station de métro – lotissement
c. pavillon – studio – locataire
d. ligne de métro – aire de jeux – panier de basket
e. centre culturel – centre-ville – théâtre

13 Écoutez Anne puis choisissez les propositions correctes. 🔊 **55**

a. ☐ Julien, Anne et leurs deux filles habitent dans un pavillon.
b. ☐ Ils habitent dans un appartement.
c. ☐ Ils ont des revenus élevés.
d. ☐ Ils ont des revenus modestes.
e. ☐ Ils ont une terrasse.
f. ☐ Ils ont un jardin.
g. ☐ Ils habitent dans le centre-ville de Montpellier.
h. ☐ Ils habitent à la périphérie de Montpellier.
i. ☐ Anne va travailler à pied.
j. ☐ Julien va travailler en tramway.

LEXIQUE L'art

→ Point Récap', livre p. 182

14 Retrouvez le mot correspondant à la définition.

a. Il joue un rôle dans une pièce de théâtre ou dans un film, c'est un ....
b. Il taille la pierre, le bois etc.... pour faire une œuvre d'art, c'est un ....
c. Il donne des concerts, c'est un ....
d. Il marche sur une corde, au-dessus du sol, c'est un ....
e. Il peint des tableaux, c'est un ....

15 Mettez ces actions dans l'ordre chronologique.

☐ **a.** Les spectateurs achètent leurs billets.
1 **b.** Les comédiens créent et répètent un spectacle.
☐ **c.** Les spectateurs assistent à la représentation.
☐ **d.** Les comédiens entrent en scène.
☐ **e.** Les spectateurs s'installent dans la salle de spectacle.
☐ **f.** Les spectateurs applaudissent et les comédiens saluent.

16 Écoutez et retrouvez à quelle date sont programmés ces spectacles. 🔊 56

vendredi à 17 heures – vendredi à 19 heures – samedi après-midi – samedi soir – dimanche midi – dimanche après-midi

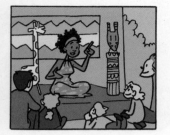

a. ....

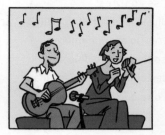

b. ....

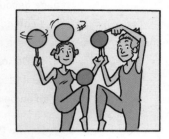

c. ....

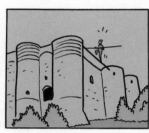

d. ....

e. ....

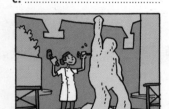

f. ....

GRAMMAIRE L'infinitif et le subjonctif : synthèse

→ Point Récap', livre p. 183

17 Soulignez les phrases dans lesquelles on emploie le subjonctif.

a. J'aimerais que les villes soient moins grises et moins tristes.

b. Ils ont déménagé pour que leurs enfants aient chacun leur chambre.

c. Je suis heureuse de retourner vivre dans la ville où j'ai grandi.

d. Ils ont aménagé un studio dans leur jardin pour le louer à des étudiants.

e. Je ne suis pas sûre que cette maison te plaise.

f. Il dit qu'il a visité un appartement très agréable.

18 Faites une seule phrase en utilisant le subjonctif ou l'infinitif.

Exemple : Je déménage le week-end prochain. Je suis content. → Je suis content de déménager le week-end prochain.

a. Pierre vit à la campagne. Il est heureux.

→ ....

b. Le loyer de mon studio augmente tous les ans. Je suis étonné.

→ ....

c. Nos voisins font du bruit. Nous n'aimons pas ça.

→ ....

d. Il y a une nouvelle autoroute près de leur maison. Ils sont furieux.

→ ....

e. Lili va travailler à vélo. Elle adore ça.

→ ....

19 Des personnes donnent leur avis sur les œuvres d'OaKoAk. 🔊 57
Écoutez-les et reconstituez les phrases.

1. Je suis fière ●   ● **a.** de découvrir ses œuvres.

2. Ça m'amuse ●   ● **b.** d'entendre dire que les graffitis sont de l'art.

3. C'est dommage ●   ● **c.** que ses œuvres soient éphémères.

4. J'aimerais ●   ● **d.** qu'OaKoAk soit originaire de cette ville.

5. Je doute ●   ● **e.** qu'il fasse des choses moins fragiles.

6. Ça m'agace ●   ● **f.** qu'on puisse dire que c'est de l'art.

GRAMMAIRE La mise en relief avec l'apposition

→ Point Récap', livre p. 183

20 Soulignez les deux éléments de l'apposition : le mot important et le pronom correspondant.

Exemple : Ce spectacle, je l'ai déjà vu.

a. Les enfants, ils adorent le théâtre de rue !

b. Ce petit garçon, le comédien lui a proposé de venir sur la scène.

c. Des spectacles pour enfants, il y en a toute l'année.

d. Les comédiens, on les a applaudis très fort.

e. Cette ville, la compagnie y a déjà joué plusieurs fois.

21 Transformez les phrases pour mettre les éléments soulignés en apposition.

Exemple : Nous avons acheté cet appartement l'année dernière.
→ Cet appartement, nous l'avons acheté l'année dernière.

a. Nous habitons dans ce quartier depuis un mois.

→ Ce quartier, ...

b. Nous invitons souvent nos voisins pour le dîner.

→ Nos voisins, ...

c. Les enfants jouent souvent ensemble.

→ Les enfants, ...

d. Il y a des commerces près de chez nous.

→ Des commerces, ...

. Nous sommes très contents de notre nouveau quartier.

` Notre nouveau quartier, ...

22 Observez l'image et imaginez une fin pour ces phrases.

a. Ce spectacle, ...
....

b. Le violoniste, ...
....

c. Les deux chanteuses, ...
....

d. Ce château, ...
....

e. Les spectateurs, ...
....

PRODUCTION ORALE Prendre et garder la parole

23 Vous cherchez un appartement à louer. Votre ami veut vous convaincre de prendre un logement en colocation mais ce mode de vie ne vous convient pas. Prenez la parole et exposez vos arguments. Exprimez votre désaccord.

🔊 58

PRODUCTION ÉCRITE Écrire un texte pour présenter une opinion

24 Le maire de votre ville a décidé d'interdire la circulation des voitures dans le centre-ville. Vous écrivez un article sur votre blog pour donner votre opinion sur cette interdiction.

....
....
....
....
....
....
....
....
....

1 Les profils sociologiques

Comptez 0,5 point par bonne réponse.

Trouvez les mots et expressions correspondant aux définitions.

a. C'est la manière, la façon de vivre : le ....

b. C'est l'ensemble des personnes qui travaillent ou qui cherchent un emploi : les ....

c. C'est un logement, à faible loyer, destiné aux personnes qui ont de petits revenus : un ....

d. C'est le synonyme de catégorie sociale : la ....

e. C'est l'ensemble des caractéristiques d'une personne (son âge, sa profession, sa situation de famille...) :
le ....

f. C'est le salaire que l'on reçoit chaque mois : le ....   /3

2 La ville et la campagne

Associez la définition au mot correspondant.

1. périphérie ●   ● **a.** grande ville

2. champ ●   ● **b.** terrain cultivé

3. métropole ●   ● **c.** ensemble des quartiers situés autour d'une ville

4. lotissement ●   ● **d.** encombrement de voitures sur une voie de circulation

5. urbain ●   ● **e.** ensemble de pavillons construits en même temps

6. rural ●   ● **f.** de la campagne

7. embouteillage ●   ● **g.** de la ville   /3,5

3 L'art

Complétez cet article avec les mots proposés.

performance
comédiens
compagnie
talents
spectacle

> **« Chemins » de la compagnie canadienne « les 7 mousquetaires »**
> Ce spectacle, qui vient de triompher à New York pendant un an,
> arrive en France ! Ne le ratez pas !
>
> Les sept artistes de cette .... sont à la fois acrobates,
> chanteurs, danseurs et ....
> Leurs .... sont multiples et leur énergie
> est débordante !
> Leur .... « Chemins » est une .... poétique
> et explosive.

/2,5

4 L'opposition et la concession

Complétez ces phrases à l'aide de l'expression qui convient.

alors que – même si – malgré – par contre

a. Je préfère habiter en ville .... c'est bruyant.

b. Son logement est confortable ...., elle n'a pas de connexion Internet.

c. Il est heureux de vivre à l'étranger .... l'éloignement.

d. Mon mari rêve d'aller vivre en Auvergne .... moi, je ne veux pas quitter Paris.   /2

5 *Avant* et *après*

Entourez l'expression de temps qui convient.

Je suis né à Paris. (Avant – Après) avoir passé une dizaine d'années dans la région parisienne, mes parents ont déménagé à Angers. Ils ont loué une maison pendant quelque temps (avant – après) d'acheter un pavillon avec un jardin dans la périphérie d'Angers. J'ai donc grandi à Angers, puis, je suis allé étudier à Nantes. (Avant – Après) avoir vécu deux ans dans une chambre universitaire, j'ai pris un studio dans le centre-ville. (Avant – Après) quatre années d'études, je suis allé travailler en Hongrie. Puis, j'ai passé trois mois à Londres en Angleterre (avant – après) de revenir m'installer à Nantes. (Avant – Après) m'être installé, j'ai trouvé un travail très intéressant.

/3

6 L'infinitif et le subjonctif

Choisissez l'expression qui convient.

a. Nous voudrions
- ☐ changer de quartier.
- ☐ que nous changions de quartier.

b. J'aimerais
- ☐ venir visiter cette maison avec moi.
- ☐ que tu viennes visiter cette maison avec moi.

c. Tu achètes de la peinture
- ☐ pour repeindre le salon.
- ☐ pour que tu repeignes le salon.

d. Vous êtes déçu
- ☐ de ne pas avoir de tramway.
- ☐ qu'il n'y ait pas de tramway.

e. J'ai envie
- ☐ de vivre au bord de la mer.
- ☐ que je vive au bord de la mer.

f. Je pense
- ☐ louer mon appartement.
- ☐ que je loue mon appartement

/3

7 La mise en relief avec l'apposition

Associez le début et la fin de ces phrases.

1. Les œuvres d'OaKoAk, •
2. OaKoAk, •
3. Ce passage piéton, •
4. Cette rue, •
5. Le street art, •
6. Ces artistes, •

• **a.** l'artiste l'a transformé en bougies.
• **b.** je les trouve amusantes et originales.
• **c.** plusieurs artistes s'y sont installés.
• **d.** ça regroupe les graffitis, les peintures murales et les installations artistiques dans la rue.
• **e.** ils sont vraiment très inventifs.
• **f.** il s'inspire des dessins animés et des jeux vidéo.

/3

Résultats : .... /20 points

Transcriptions

Unité 0 La langue française en action

Piste 1
Activité 3
1. – Il vient de Suisse.
2. – Elles lisent des magazines.
3. – Elle met 10 minutes pour aller au bureau.
4. – Elle(s) voit (voient) leurs parents le week-end.
5. – Ils prennent le train tous les jours.
6. – Elle vit dans le centre-ville.
7. – Il(s) court (courent) sur la plage.
8. – Ils attendent le bus.

Piste 2
Activité 5
Je m'appelle Maria Isabel mais mes amis disent Maribel. Je viens d'Espagne mais je vis à Toulouse. J'habite en colocation avec Pilar, une amie espagnole. Nous apprenons toutes les deux le français à l'Alliance Française. Nous suivons des cours dans la même classe. Moi, j'espère devenir professeur de français et Pilar veut travailler dans le domaine du tourisme.

Piste 3
Activité 12
ANNE. – Ah… Bientôt les vacances ! Je suis contente ! Je suis vraiment fatiguée en ce moment…
LISE. – Oui, moi aussi ! Qu'est-ce que tu vas faire pendant les vacances ?
ANNE. – Je vais faire du camping au bord de la mer, en Bretagne. Le programme va être très simple : je vais aller à la plage avec les enfants et on va se baigner si la mer n'est pas trop froide. Mon frère habite dans la région alors on va peut-être faire du bateau ensemble. Voilà ! Je vais me reposer ! Et toi, Lise, tu vas faire quoi ?
LISE. – Moi, je vais aller chez ma copine Sophie à Paris. Je pense qu'on va dîner dans le petit restaurant japonais à côté de chez elle. Je vais aussi voir une exposition de peinture très intéressante.

Piste 4
Activité 16
Exemple. – Moi, j'aime marcher dans la nature ou à la montagne et observer les oiseaux.
a. – Bon, j'ai pris mon maillot de bain, ma serviette… Et la piscine va ouvrir dans 10 minutes. C'est parfait !
b. – J'ai joué le rôle d'un professeur très sévère dans une pièce.
c. – Papa ! Tu m'emmènes au stade ? Maman ! Je ne trouve pas mes chaussures et mon short !
d. – Moi, je joue de plusieurs instruments dans un orchestre.
e. – Quel beau coucher de soleil ! La lumière est magnifique ! Vite, mon appareil photo !

Piste 5
Activité 18
Exemple. – Je sais un peu parler arabe, je connais quelques phrases.
a. – Il est très rapide, il peut courir 400 mètres en 52 secondes.
b. – Elle a beaucoup d'humour, elle est capable de faire rire tout le monde.
c. – Je n'arrive pas à dessiner la carte de France ! Comment tu fais, toi ?
d. – Il n'est vraiment pas bon en maths !
e. – Elle sait super bien chanter. C'est ma chanteuse préférée !

Module 1 Multiplier ses contacts

Unité 1 Aller à la rencontre des autres

Piste 6
Activité 2
Lucie parle : Je prends des cours de piano tous les mercredis, j'adore la musique classique, j'ai toujours mon lecteur MP3 sur moi. D'ailleurs je chante tout le temps. Je vais quelquefois au cinéma avec des amis, rarement au théâtre. Je vais aussi de temps en temps boire un café avec mes copines après les cours. Mais je ne vais jamais en boîte de nuit !

Piste 7
Activité 3
Comment rencontrer des gens aujourd'hui ? 4 auditeurs nous parlent de leur expérience.
– Internet est fantastique, je parle tous les jours à des gens qui ont les mêmes goûts que moi.
– Moi, je suis timide, j'ai quelques amis proches, mais je rencontre rarement de nouvelles personnes.
– Je vais facilement vers les autres. Je sors souvent pour faire de nouvelles connaissances.
– Il est possible de nouer des relations avec ses collègues. Je me suis parfois fait de très bons amis au travail.

Piste 8
Activité 13
a. – François porte un costume blanc. C'est très chic.
b. – Jean-Luc aime mettre son vieux pantalon et sa chemise préférée pour aller à la pêche.
c. – Ludovic met sa tenue de sport pour aller jouer au foot avec ses copains.
d. – Mélissa se prépare. Elle met sa chemise et son pantalon noir. Le concert va commencer.
e. – En hiver, Oscar porte toujours son long manteau bleu.
f. – Aude doit porter une jupe et un chemisier aux couleurs de la compagnie.

Piste 9
Activité 16
a. – Il est original c'est vrai mais derrière ce personnage se cache un être sensible, tendre. Il est passionné par son métier et ça s'entend quand il chante…
b. – C'est une femme extraordinaire, très gentille. Son intelligence est grande, et en plus elle passe tout son temps avec ses patients, elle est attentive avec les petits et les grands…
c. – Elle est courageuse. C'est aussi une femme créative et généreuse comme sa cuisine.
d. – Derrière cette apparence sévère, il y a un personnage drôle et imaginatif qui arrive à expliquer tout ce qui est difficile en mathématiques…

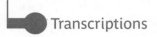

Piste 10
Activité 19
– C'était bien ce dîner, qu'est-ce que tu en penses ?
– Oui, c'était intéressant. Denise est toujours généreuse.
– Oui tu as raison, et Martin aussi, qu'est-ce qu'il est drôle !
– Ah bon ?
– Michel quel gourmand ! Il a fini tous les plats !
– Il est surtout bruyant.
– Oh et toi, tu es jaloux !

Piste 11
Activité 25
– Bonjour ! Cela fait tellement longtemps que l'on ne s'est pas vu. Regarde, j'ai quelque photo de Nicolas.
– Il est marié depuis 10 ans maintenant, sa femme s'appelle Magali, ses filles, Laurie et Fanny, ont 8 et 6 ans. Ils n'habitent plus ici.
– Oui, ils habitent en Suisse, à la montagne. Ils font du ski en famille.
– Oui, il a gagné des prix dans des compétitions de ski.

Unité 2 : Enrichir son réseau

Piste 12
Activité 2
Dialogue 1
– Allô ?
– Salut Sébastien, c'est Mourad. Je t'appelle pour que tu me donnes le mail de ton ancien prof.
– Ah oui, pas de problème. Je t'envoie son mail et son téléphone, n'oublie pas de lui dire que tu le contactes de ma part.
– Merci, j'espère qu'il va accepter de s'occuper de mon stage !
Dialogue 2
– Bonjour Amandine, vous allez bien ? Vous avez envoyé votre candidature à mon ancien collègue ?
– Oui, je l'ai envoyée ce week-end, j'espère que ça marchera.
– Si vous voulez, je peux lui parler de votre travail dans notre entreprise ?
– Si cela ne vous dérange pas, ça me rendrait vraiment service !

Dialogue 3
– Salut maman, c'est moi.
– Ah, ma chérie. Comment vas-tu ? Ça me fait plaisir que tu appelles !
– J'ai besoin d'un petit service : pourrais-tu me donner le numéro de téléphone de ta voisine qui vend sa voiture ?

Piste 13
Activité 7
1. – Je les mets surtout pour lire.
2. – Je l'utilise surtout pour jouer.
3. – Je le trouve parfait pour prendre des photos rapidement.

Piste 14
Activité 10
M. MARTINEZ. – Je suis Mariela Martinez et aujourd'hui j'interviewe Paul Pijourlet, fondateur du site de rencontres professionnelles Wijob. Bonjour Paul !
P. PIJOURLET. – Bonjour Mariela.
M. MARTINEZ. – Vous avez créé le site quand vous étiez encore à la fac je crois, le succès est venu tout de suite après ?
P. PIJOURLET. – Non, pas tout de suite. Encore après nos études, on était tout le temps en train de chercher du travail pour payer le fonctionnement du site. Et puis des professionnels ont mis de la publicité ça a commencé à rapporter de l'argent.
M. MARTINEZ. – C'était après le reportage télé sur votre équipe et le site ?
P. PIJOURLET. – Oh là non, le reportage c'était bien avant, quand on était encore à la fac.
M. MARTINEZ. – Et maintenant, alors, le site se porte bien je crois ?
P. PIJOURLET. – Oui, c'est vrai, le site marche très bien et on travaille dessus à plein-temps.

Piste 15
Activité 13
1. – J'ai 22 ans, j'étudie les mathématiques, je suis en Licence.
2. – J'ai 17 ans et je passe mon bac économique à la fin de l'année.
3. – Je suis étudiante et je dois faire 2 stages dans des restaurants cette année.
4. – Je suis jeune diplômée et pour l'instant, je recherche un emploi.

Piste 16
Activité 22
RECRUTEUR. – Bonjour monsieur Sève, je vous en prie, installez-vous. Dans un premier temps, dites-moi quand vous avez passé votre Bac ?
JEAN-PHILIPPE. – En 2002, à Lyon.
RECRUTEUR. – Et en quelle année avez-vous vraiment commencé à travailler ?
JEAN-PHILIPPE. – Oh, il y a longtemps maintenant. C'était en 2005, j'étais stagiaire.
RECRUTEUR. – J'ai vu aussi que vous aviez travaillé à la mairie du 14ᵉ arrondissement ; pendant combien de temps êtes-vous resté là-bas ?
JEAN-PHILIPPE. – Pendant 3 ans. J'occupais le poste d'agent administratif.
RECRUTEUR. – Et depuis 2013, que faites-vous exactement ?
JEAN-PHILIPPE. – Je suis assistant de direction chez Areva. Je suis entré dans leur société en 2011.
RECRUTEUR. – Merci pour toutes ces précisions. Je vais compléter votre dossier.
JEAN-PHILIPPE. – Je vous en prie. Au revoir.

Piste 17
Activité 25
– Bonjour, tu vas bien ? Pourquoi tu m'appelles ?
– Ça, c'est une bonne idée. Tu m'appelles pour avoir un peu d'aide c'est ça ? Est-ce que tu as déjà pensé à un endroit et une date ?
– Ensuite ? Tu pourrais penser au thème de la soirée : pour choisir la nourriture et les boissons, la musique… Pourquoi pas des costumes !
– Tu ne dois surtout pas oublier de faire la liste des invités, d'envoyer les invitations et de demander qui vient et qui ne vient pas !

Unité 3 : Vivre l'information

Piste 18
Activité 3
JOURNALISTE. – Comment les jeunes s'informent-ils ? Quel type de média utilisent-ils en priorité ? 3 jeunes, d'âge et de situation différents, ont répondu à ces questions.
ANAÏS. – Moi, je m'appelle Anaïs, j'ai 17 ans,

je suis lycéenne et j'habite chez mes parents. Souvent, quand on dîne, ils regardent le JT de 20 heures, à la télé. Moi, je regarde avec eux et comme ça, on discute de l'actualité ensemble.

ÉRIC. – Mon nom est Éric. Je suis étudiant et je vis dans un petit studio. Je passe beaucoup de temps sur Internet. Je lis les journaux en ligne ou bien je fais des recherches pour préparer des exposés. C'est super ! On trouve l'info qu'on veut immédiatement !

TARIK. – Je m'appelle Tarik, j'ai commencé à travailler il y a deux mois et je n'ai pas beaucoup de temps libre. Je prends le métro pour aller au travail, je lis les journaux gratuits pendant le trajet. Les articles sont courts et pas trop compliqués ! Ça me convient bien !

Piste 19
Activité 10

PRÉSENTATEUR. – Radio République, il est 20 heures. Tout de suite les infos avec Simon Deniau.

JOURNALISTE. – Bonjour à tous !
France : L'usine Peugeot-Citroën d'Aulnay-sous-Bois va fermer vendredi.
Politique : Le gouvernement et les associations vont signer un accord sur les forêts françaises.
International : À Madagascar, le peuple va élire son président aujourd'hui.
Économie : Le chômage a augmenté en septembre. Le nombre de chômeurs a atteint 3,2 millions.

Piste 20
Activité 13

1. ALEXIS. – Je m'appelle Alexis, j'ai 30 ans. J'habite à l'étranger, alors, pour rester en contact avec ma famille et mes amis en France, j'ai ouvert un compte Facebook. Ça me permet de donner des nouvelles à tout le monde et de partager des photos. J'ai aussi pu retrouver des amis d'enfance. C'est sympa !
2. VÉRONIQUE. – Moi, c'est Véronique. Je n'utilise pas les réseaux sociaux. Je ne comprends pas les gens qui mettent des informations et des photos privées sur Internet. Tout le monde peut les regarder et il

n'y a aucun contrôle ! Je préfère prendre mon téléphone et discuter vraiment avec mes amis.
3. SAMIA. – Je me présente, je m'appelle Samia. J'ai fait des études de commerce et j'utilise surtout les réseaux sociaux professionnels comme Viadeo. On peut créer son profil, avec son CV, consulter des offres d'emploi, envoyer et recevoir des messages… C'est très pratique ! J'espère bientôt trouver un travail comme cela.

Piste 21
Activité 22

JOURNALISTE. – Le 19 avril 2013, la ville de Paris a souhaité inviter les Parisiens, les visiteurs et les amoureux de Paris à s'exprimer sur leur perception de la capitale. Au total, plus de 10 000 tweets ont été envoyés et déclamés dans les rues de Paris. Voici quelques témoignages de cette journée particulière.

ALBA. – Je m'appelle Alba. C'était vraiment une super journée ! J'ai écouté les crieurs de rue et j'ai envoyé un tweet le soir, dans le métro, quand je rentrais chez moi.

LUCILE. – Lucile, comédienne. J'étais crieur de rue le 19 avril. Les tweets étaient drôles, poétiques et toujours originaux. C'est incroyable ! Où les gens trouvent-ils cette inspiration ?

HIND. – Je m'appelle Hind. Je suis un peu déçue parce que je n'ai pas eu l'information. Est-ce que cette opération va être renouvelée en 2014 ?

Piste 22
Bilan 7

Bonjour Monsieur, quelle est votre profession ? Quel âge avez-vous ? Êtes-vous parisien ?
Avez–vous participé à l'opération *Un jour de tweets à Paris* ? 10 000 tweets ont été envoyés ce jour-là. Qu'est-ce que vous avez pensé de cette journée ?

Unité 4 : Interroger le passé

Piste 23
Activité 3

Je me rappelle mon enfance à Lyon, nous vivions mes parents et moi dans une grande maison qui me faisait penser à un petit château. Puis nous avons déménagé à la campagne et j'ai commencé l'école dans un village. C'est là-bas que j'ai appris à faire du vélo. Plus tard, nous sommes partis vivre dans un autre village, je me souviens de ma mère qui travaillait beaucoup, cela me rendait triste. Elle m'emmenait à l'école dans sa vieille Renault 5 jaune. C'est dans ce village que j'ai travaillé pour la première fois, à 16 ans, je cueillais des pommes. C'était une belle expérience. Je suis un peu nostalgique de cette année-là. Je viens de revoir un ami d'enfance, les retrouvailles étaient étranges, mais nous évoquons avec plaisir nos souvenirs autour d'une tasse de café, entourés de nos enfants.

Piste 24
Activité 7

Ah mes garçons, c'est Jules qui est né en premier, il était plus gros à la naissance. Marcel était plus fragile. Ils étaient aussi souriants l'un que l'autre et ils le sont toujours !
Plus tard, Jules est resté le plus fort, il est d'ailleurs plus sportif que son frère, il joue beaucoup au rugby. Marcel, est aussi intelligent que son frère, mais c'est vrai qu'il travaillait mieux à l'école.

Piste 25
Activité 10

Je suis partie en voyage en Espagne avec mon amie d'enfance, Caroline. Je suis arrivée à l'aéroport, trois heures avant le début de l'enregistrement. Caroline était en retard. Je me suis rappelée qu'elle partait rarement à l'heure. J'avais pourtant tout prévu : faire ma valise, mettre mon réveil, appeler un

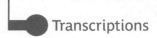

taxi. Caroline n'avait rien fait de tout ça. Lorsqu'elle est arrivée, l'avion avait déjà décollé.

Piste 26
Activité 12

Ici, c'est mon père, il porte une moustache, je joue au foot avec lui. Là, c'est mon frère, il casse mes jouets et crie tout le temps. Ma grand-mère, est ici, elle me racontait des histoires quand j'étais petit et ne me gronde jamais. Mon grand-père est drôle et très vieux. Mon père lui ressemble. Là, c'est ma sœur. Elle a deux ans de plus que moi. Elle est très énervante… Ah, là, c'est mon meilleur copain. Il est génial, il porte des lunettes, on est dans la même classe.

Piste 27
Activité 13

Charles et Colette sont mes grands-parents. Ils ont eu deux filles et un fils. Moi Je suis le fils d'une des filles, l'aînée : Sylvie, qui est mariée à Patrick. Ma tante Noémie est l'épouse d'un médecin. J'ai un cousin. Il s'appelle Mathieu. Mon oncle, Paul, est célibataire. Je suis oncle à mon tour depuis que ma sœur Alexia a eu un bébé. Mon neveu s'appelle Claude.

Piste 28
Activité 15

Mon grand-père, nostalgique, a toujours adoré nous conter des histoires. Sa préférée était celle où il racontait sa rencontre avec Yvonne. Yvonne, c'est ma grand-mère. À cette époque, les jeunes aimaient se retrouver dans des bals. Mon grand-père avait 26 ans, il conduisait une 2 CV et amenait tous ses amis au bal du village voisin. Au bal du 24 juillet 1952, il invita ma grand-mère à danser et ils ne se sont plus quittés depuis. Dans son souvenir, alors que tout le monde était parti, le petit orchestre continuait de jouer quelques chansons rien que pour eux deux. Je pense qu'il a inventé cette partie de l'histoire, mais ça le rend tellement heureux de se rappeler de ce moment, que je ne lui ai jamais demandé.

Piste 29
Activité 16

Si je pouvais vivre à une autre époque, je choisirais la Belle Époque sans hésiter ! Autrefois, la vie était plus agréable, les gens plus insouciants. Tout semblait nouveau : c'est le début de la radio, de l'automobile. J'adore aussi la littérature et la peinture du début du XXe siècle. Et plus que tout, j'aurais voulu assister à la construction de la Tour Eiffel !

Piste 30
Activité 19

Leila a commencé par ranger les documents qu'elle avait laissés le matin sur son bureau. Puis elle est partie prendre son train. Le train qu'elle devait prendre, a été annulé. Elle a appelé sa collègue, et heureusement, elle l'a raccompagnée en voiture jusque chez elle.

Unité 5 : Explorer l'inconnu

Piste 31
Activité 2

Cette année, ma vie a complètement changé : je suis parti travailler à l'étranger avec toute ma famille !
J'ai accepté un poste de directeur à Cuba. D'abord, c'était difficile d'imaginer cette nouvelle vie et puis quand j'ai acheté les billets d'avion sur Internet, c'est devenu réel…
Notre grand départ a eu lieu le 27 août, mais ça a été très difficile de faire nos valises, parce que nous avons dû faire des choix : laisser des affaires, dire au revoir à la maison…
J'ai même presque changé d'avis le jour même ; quand on est monté dans le taxi, j'avais oublié mon passeport et je me suis dit que c'était un signe et qu'on devait rester en France ! Mais bon avec ma femme, cela faisait longtemps que l'on rêvait de s'expatrier pour découvrir d'autres cultures : on n'allait pas abandonner au dernier moment !

Piste 32
Activité 3

1. Stéphane a habité jusqu'à l'âge de 24 ans en France à Évian-les-Bains. Il habite maintenant juste à côté, en Suisse.
2. Marcella a quitté l'Italie pour aller travailler dans une société à Paris.
3. Pour leurs prochaines vacances, Shanez et son fiancé Grégory ont décidé de visiter au moins 5 pays !
4. La famille Boileau vient de déménager à Montpellier.
5. Jonathan a fait le tour du monde. Après toutes ces années, il s'est arrêté de voyager et habite sur l'île de Ré.

Piste 33
Activité 7

SAMIA. – Alors Sophie, tu vas emménager chez Joris et quitter ton appartement ?
SOPHIE. – Oui, oui, j'aime bien le quartier. Joris y habite depuis 10 ans et il est vraiment calme et plutôt joli. Et puis, Joris y a ses habitudes, il déjeune tout le temps dans le même restaurant. Je t'ai déjà parlé de ce restaurant ? Les prix n'y sont vraiment pas très chers. C'est un endroit super sympa et Joris connaît tout le monde là-bas.
SAMIA. – Et tes projets de voyage alors ?
SOPHIE. – C'est vrai aussi que je rêve d'habiter dans une ville exotique, près de la mer…
SAMIA. – Mouais, tu rêves d'un pays difficile à trouver ! Joli, calme, sympa, pas cher, exotique, près de la mer…

Piste 34
Activité 10

Allô, bonjour je suis Mangatina Randrianala de l'agence de voyages. Comme convenu je vous rappelle pour vous lister tout ce que vous devez faire :
Dans un premier temps bien sûr, il faut acheter les billets d'avion : l'aller et le retour. Ensuite, vous pouvez déposer votre demande de visa. N'oubliez pas de vérifier vos vaccins. Changez ensuite votre argent. À Madagascar, on utilise des Ariary.

Piste 35
Activité 13

J'ai passé une année incroyable en Chine !
Bon, c'est vrai ; j'ai eu quelques petits
accidents…
Il y a eu cette fois, je ne faisais pas attention
et un jour mon vélo a glissé, je suis tombé et
je me suis cassé le bras. Après, j'ai essayé de
faire attention mais…
Une autre fois, je suis allé pêcher. Il y avait
beaucoup de vents et je me suis cogné contre
la voile : maintenant j'ai une énorme bosse !
Je crois que je n'irai plus jamais pêché parce
que quand on est sorti du bateau, j'ai fait
tomber un panier de poissons sur mon pied
droit et je n'ai plus marché pendant 15 jours !
Je ne vais pas vous raconter quand un panda
m'a mordu la main parce que je voulais le
caresser ou quand je me suis amusé à jouer
avec des couteaux.
Mais je vous assure, je ne fais pas exprès :
je déteste me blesser !

Piste 36
Activité 15

1. Ils sont tous bruns et ils ont la réputation
de parler vite. Ils boivent beaucoup
d'expressos. Ils cuisinent des pâtes.
2. On dit que c'est le pays des mangas et des
jeux vidéo.
3. Ils sont tous grands et blonds, avec les
yeux bleus. Les filles sont très belles et
semblent toutes être des mannequins.
4. Ils font tous du surf et leur animal préféré
est le kangourou.

Piste 37
Activité 16

ANTONIN. – Tu habites où toi ?
DANIEL. – À côté des montagnes mais dans
le sud : à Grenoble.
ANTONIN. – Dans le sud ? Non mais tu
plaisantes ! Au-dessus de Nice, c'est le
nord ! Il pleut, il fait froid ! Il me semble qu'il
neige à Grenoble non ?
DANIEL. – Mais si tu dis ça, qu'est-ce que
tu penses de Lille ? Tu l'appelles comment le
vrai Nord de la France ?
ANTONIN. – Je ne l'appelle pas : moi le Pôle
Nord, je n'irai jamais, alors…
DANIEL. – J'ai habité 5 ans à Lyon et il faisait

assez beau je trouve, pas autant qu'ici mais
quand même…
ANTONIN. – Ah non ! Les Lyonnais, les
Parisiens, on ne les aime pas, c'est une
tradition !
DANIEL. – mmh, tu as quand même une
image assez négative du reste de la France
non ?
ANTONIN. – Pas du tout ! Je dis juste que les
Parisiens sont arrogants et que les Lyonnais
sont nuls au foot, c'est tout.
DANIEL. – C'est vrai que ces 3 villes ont la
réputation de ne pas bien s'entendre…
ANTONIN. – Écoute, mettons-nous d'accord :
Marseille, c'est la plus grande, la plus belle
et la plus importante ville de France, voilà.

Unité 6 : Goûter l'insolite

Piste 38
Activité 12

1. ALEX. – Moi je suis végétalien : je ne
mange que des légumes et des céréales.
2. LAURENT. – Je vais souvent dans des
salons de thé déguster des gâteaux.
3. SIRRINE. – L'odeur du poisson me coupe
l'appétit ! Rien ne vaut une belle pièce de
viande grillée.
4. YVONNE. – Un repas est bon seulement
quand il y a du fromage avant le dessert.
5. ARTHUR. – Je mange beaucoup sucré,
c'est pour ça que j'adore les petits-déjeuners.
6. ROXANE. – Mon restaurant préféré sert du
poisson excellent !

Piste 39
Activité 13

1. Sylviane aime les produits frais. Elle
ne mange que des légumes de saison qui
poussent près de chez elle. Elle adore cuisiner
les recettes de sa grand-mère.
2. Reda aime découvrir des aliments qu'il ne
connaît pas. Il préfère les soupes très épicées
et la cuisine qui mélange le sucré et le salé.
3. Rémi va souvent au restaurant déguster
des plats savoureux. Il aime les repas copieux
relevés à l'ail. Quand il cuisine des poivrons
et des aubergines marinés, il utilise beaucoup
d'huile d'olive.
4. Emma n'a pas peur de la nouveauté. Chez

elle, elle aime tester des recettes originales.
Au restaurant, elle ose goûter à des plats
que beaucoup refuseraient, comme des
sauterelles au caramel.

Piste 40
Activité 16

1. Je vis sous la terre avec des millions
d'ouvrières. Nous travaillons tout le temps
pour nourrir notre reine et pour la colonie.
Qui suis-je ?
2. Je suis de la même couleur que l'herbe
dans laquelle je vis. J'ai de très longues
pâtes avec lesquelles je peux sauter très haut
et très loin. Qui suis-je ?
3. Je vis dans la terre et je n'ai pas de pattes.
Qui suis-je ?
4. Je suis rouge à points noirs et pour les
Français je porte bonheur. Qui suis-je ?
5. Je passe beaucoup de temps à tisser des
toiles pour attraper mon dîner. Qui suis-je ?
6. Je vis dans une ruche où je fabrique le
miel. Qui suis-je ?

Piste 41
Activité 19

Ce soir je vais voir un film avec mes amis.
Ils ont réservé des places pour la séance de
20 heures. Je ne pense pas que ce film va me
plaire. Ils ne me demandent jamais mon avis,
ça m'énerve ! En plus, le cinéma est très loin,
je ne comprends pas pourquoi ils ont choisi
d'aller là-bas… De toute façon, je trouve que
c'est mieux quand nous allons au restaurant,
comme ça, on peut discuter ! Mais bon, ça
me fait quand même plaisir de voir mes amis
ce soir…

Piste 42
Activité 21

La semaine prochaine, j'ai beaucoup de
choses à faire.
Lundi, je vais déjeuner avec Anne et à dix-huit
heures, je vais aller voir un de mes groupes
préférés en concert.
Mardi, je vais commencer un cours
d'espagnol qui a lieu toutes les semaines de
13 heures à 14 heures.
Mercredi, je vais aller à la piscine avec Fred
à l'heure du déjeuner et à 20 heures, je vais

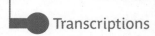

aller retrouver Alice au cinéma pour voir *Django Unchained*.
Jeudi, c'est moi qui vais aller chercher Marion au Judo à dix-neuf heures parce que Karim ne peut pas y aller cette semaine. Je vais aussi prendre rendez-vous chez le coiffeur pour vendredi à dix-huit heures et vendredi, à 20 heures, je vais au restaurant avec mes enfants et mon mari.
Heureusement que je n'ai rien à faire pendant le week-end !

Module 3 Changer le monde

Unité 7 : Consommer autrement

Piste 43
Activité 7
1. SAMIA. – Je m'appelle Samia, je suis étudiante et je n'ai pas de revenus. C'est pourquoi, j'ai choisi de vivre en colocation. Je partage un appartement avec deux autres étudiantes. Grâce à la colocation, on partage le loyer mais aussi les dépenses comme la connexion Internet, l'électricité ou les meubles.
2. MARIA. – Moi, c'est Maria. Je vis à la campagne mais je travaille en ville, alors, pour faire des économies sur le carburant, je fais du covoiturage avec une amie. Elle me dépose tous les matins au bureau en échange d'un peu d'argent. Et puis, mes voisins ont une ferme, alors je leur achète parfois des œufs ou des poulets. C'est moins cher qu'au supermarché et c'est meilleur !
3. JULIE. – Je m'appelle Julie. Je viens de finir mes études de droit mais je ne trouve pas de travail. Alors je me suis inscrite sur un site d'échanges de services. Par exemple, j'ai donné des conseils à un monsieur qui voulait ouvrir un garage automobile et maintenant, quand j'ai un problème avec ma voiture, il la répare gratuitement !

Piste 44
Activité 13
Une enquête a été effectuée afin de connaître les pratiques de consommation des Français.

Tout d'abord, 96 % des personnes interrogées pensent qu'elles peuvent jouer un rôle dans la protection de l'environnement en étant des consommateurs responsables. Mais il est intéressant de voir qu'il y a une différence entre les idées de ces personnes et leurs comportements réels. En effet, seulement 72 % des personnes disent qu'elles font attention à l'environnement quand elles font leurs courses. Alors, faire attention, oui, mais comment ? Par exemple, 51 % achètent en priorité des fruits et des légumes locaux et regardent l'origine des produits. Autre exemple, 33 % évitent d'acheter des produits jetables, comme des serviettes et des mouchoirs en papier, des verres en plastique… Et les produits biologiques ? Et bien, un quart des personnes interrogées achètent régulièrement des produits biologiques dans des supermarchés ou dans des magasins spécialisés. Enfin, 10 % des personnes choisissent de ne pas prendre leur voiture pour aller faire les courses.

Piste 45
Activité 22
Marc et Sophie ont décidé de changer leur façon de vivre. Maintenant, ils vivent d'une façon simple. Ils ont modifié leurs habitudes de consommation. Ils vivent d'une autre façon. Par exemple, ils veulent manger de façon saine, ils limitent leur consommation de viande et choisissent des produits frais et naturels. Ils ont décidé de consommer de façon intelligente : ils préfèrent louer ou acheter des objets d'occasion plutôt que d'acheter des objets neufs. Ils se déplacent d'une façon différente, ils utilisent très peu leur voiture. Ils ont changé leurs habitudes avec rapidité et ils se sont adaptés à leur nouvelle vie avec facilité.

Piste 46
Activité 25
– Chérie, il faut que je te parle. J'ai décidé de changer de vie !
– Eh bien, je voudrais tout quitter : mon emploi, la maison, la voiture…
– Non ! Bien sûr que non ! J'ai envie d'aller vivre à la campagne et de produire du fromage de chèvres.

– Oui, mais j'en ai assez de ce stress…
On n'a pas assez de temps pour s'occuper des enfants…
– Oui, je crois…

Unité 8 : S'engager pour une cause

Piste 47
Activité 3
Vous l'avez vu et surtout ressenti : depuis une semaine le temps s'est refroidi et la neige a commencé à tomber. *Les Restos du cœur* en appellent à votre générosité et votre temps : nous avons besoin de bénévoles mais aussi de nourriture, de vêtements, d'argent… pour aider les personnes en difficulté. Un jour, ça pourrait être moi, ça pourrait être vous, faites un petit geste et contactez-nous par téléphone ou sur notre site Internet. Merci à tous et à toutes.

Piste 48
Activité 7
a. GUILLAUME. – J'ai toujours aimé la compétition. Quand j'étais enfant, je voulais être un champion, gagner des médailles aux Jeux olympiques. Mais je me suis blessé quand j'étais au collège et j'ai dû arrêter le sport.
b. LUCAS. – Quand les gens ont des problèmes entre eux et quand ils ne s'entendent pas ; au lieu de discuter, ils se battent. Je déteste vraiment la violence, ça me fait peur. Je pense qu'on pourrait tout arranger en discutant.
c. AMINA. – Je m'ennuie un peu dans mon travail. Je préférerais faire un travail plus excitant, avec de l'aventure et du danger. J'aimerais combattre les incendies par exemple.
d. LUDOVIC. – À mon travail, quand je propose des nouveaux projets, on ne m'écoute pas. J'ai encore l'air d'un étudiant alors que j'ai de l'expérience et de bonnes idées, je pense.

Piste 49
Activité 10
Bonjour à toutes et à tous, merci de suivre avec nous le Tour de France 2013. Et bienvenue pour notre résumé quotidien de l'étape.

L'étape d'aujourd'hui s'est donc déroulée de Bourg-d'Oisans au Grand-Bornand, le top départ a été donné à 10 h 45.

Un petit groupe de coureurs s'est tout de suite échappé et a eu jusqu'à 8 minutes d'avance sur le reste des coureurs.

Le col de la madeleine a été très difficile. Tous les cyclistes ont souffert et Joseph Serrecchia n'a pas réussi à franchir cette première épreuve. Il a dû abandonner à 6 kilomètres du sommet.

On peut noter une chute de onze coureurs à quelques kilomètres de l'arrivée. Six d'entre eux ont eu des blessures et deux ont dû abandonner et être hospitalisés.

Finalement, Rui Costa et deux autres adversaires s'approchent de la fin de l'étape, mais ces derniers n'ont pas réussi à lutter et Rui Costa a franchi la ligne d'arrivée, fatigué mais fou de joie, à 16 h 37 sur la place principale du Grand-Bornand.

Encore une fois, félicitations au grand vainqueur du jour, nous, on se retrouve demain, dès 10 heures pour la prochaine étape.

Piste 50
Activité 13

Devenir bénévole, c'est d'abord un choix personnel. Cela montre la volonté de se rendre utile et de se battre contre toutes les inégalités. Tout le monde a souvent envie d'aider les autres mais on ne sait pas trop comment faire et qui contacter, c'est pourquoi les associations ont besoin de faire de la publicité pour informer le public.

Être volontaire et aider les plus démunis, c'est aussi une façon d'être plus ouvert aux autres dans son pays ou de découvrir d'autres cultures quand on part en mission à l'étranger. Quel que soit le choix de la cause, cela permet toujours de vivre une expérience unique et enrichissante.

Et quand les gens découvrent les difficultés des autres, leurs problèmes semblent moins importants.

S'engager dans le secteur associatif permet aux gens de rester en contact avec les autres. Les bénévoles se rencontrent et forment une équipe très unie. Cela permet par exemple aux personnes âgées de rester actives tout en aidant les personnes dans le besoin.

Piste 51
Activité 16

1. – Docteur Salvagnac ? Votre patient vous attend en salle d'attente.

2. – Le docteur Ramirez est attendu au bloc opératoire n° 2 de toute urgence.

3. – Aïe ! Je me suis fait mal en tombant de vélo ! Regarde cette bosse !

4. – Bonjour monsieur Duval, j'ai une bonne nouvelle. Vous êtes en bonne santé, vous allez pouvoir rentrer chez vous demain.

5. – Bonjour, je viens pour une urgence, j'ai eu un accident, je crois que je me suis cassé le bras.

6. – Atchoum ! Oh je crois que j'ai attrapé froid...

Piste 52
Activité 22

M. FOURNIER. – L'UNICEF nous demande de travailler avec eux sur un projet concernant les Droits des enfants. Il faut mobiliser nos équipes !

JULIE. – Oui, je leur en ai déjà parlé et tout le monde est très motivé et enthousiaste.

M. FOURNIER. – Dans un premier temps, les employés de l'UNICEF veulent nous rencontrer chez eux pour discuter du projet.

JULIE. – C'est indispensable en effet, j'ai très envie de les y rencontrer.

M. FOURNIER. – Et, vous avez déjà quelques idées de projet ?

JULIE. – C'est encore un peu tôt, on en a quelques-unes : des jeux, des affiches, des vidéos, des rencontres…

M. FOURNIER. – Et le thème ? Vous avez quelque chose à me proposer ?

JULIE. – Non pas encore, mais après la réunion de demain, on vous en montrera quelques-uns.

M. FOURNIER. – D'accord, bon, c'est déjà pas mal mais il faut aussi penser à donner un planning aux responsables du projet…

JULIE. – Oui, c'est vrai ! Je vais également leur en faire part demain.

M. FOURNIER. – Vous êtes toujours d'accord pour aller à la conférence de samedi ? Cela nous aidera.

JULIE. – Oui toujours ! Nous nous y retrouverons.

Unité 9 : Repenser le quotidien

Piste 53
Activité 3

Une étude a été faite l'année dernière, à la demande de la mairie de Paris, pour mieux connaître le profil sociologique des personnes vivant dans les logements sociaux parisiens. Tout d'abord, il s'agit majoritairement de familles avec un ou deux enfants. Quand un premier ou un deuxième enfant naît, les parents souhaitent un logement plus grand. Mais ils n'ont pas toujours des revenus suffisants et ils choisissent alors de demander un logement social.

Ensuite, 40 % de ces personnes ont entre 25 ans et 35 ans. C'est en effet l'âge où on entre dans la vie active et où on agrandit la famille. Enfin, 75 % de ces personnes ont des revenus inférieurs au SMIC et occupent des postes d'employés ou d'ouvriers. Il faut noter également que 15 % des personnes habitant dans un logement social sont au chômage.

Piste 54
Activité 7

1. VANESSA.– Je m'appelle Vanessa. J'habite dans une chambre universitaire, d'abord parce que c'est moins cher et aussi parce que je n'avais pas envie de me retrouver toute seule dans un studio en centre-ville. Ma chambre est toute petite mais je suis bien ici !

2. CHLOÉ. – Chloé, 22 ans. Alors, moi, j'habite chez un couple de personnes âgées. Je loue une chambre dans leur maison, dans le centre de Paris. Je paie un petit loyer mais je dois m'occuper d'eux et faire leurs courses. Je les aime bien même s'ils sont assez stricts.

3. PAUL. – Moi c'est Paul. Je loue un studio dans une ferme. Tous mes amis habitent en ville mais moi, je préfère vivre ici. C'est calme, j'ai un jardin, j'entends les oiseaux le matin. C'est vraiment agréable !

4. YANIS. – Je m'appelle Yanis et j'habite en colocation avec deux copains depuis un an. C'est super ! On est libres, on sort comme on veut, on invite qui on veut… Par contre, pour étudier, ce n'est pas facile, ce n'est pas très calme !

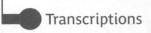

Piste 55
Activité 13

Bonjour, je m'appelle Anne. Je suis mariée et j'ai deux filles. Julien, mon mari et moi venons d'acheter un appartement dans le nouveau quartier de Malbosc dans la périphérie de Montpellier. Nous voulions acheter un pavillon avec terrain mais nos revenus étaient trop faibles. Et finalement, nous sommes très bien ici ! Nous avons un appartement de 90 m² tout équipé avec trois chambres et une petite terrasse. Pas besoin de jardin ! Les filles retrouvent leurs copains à l'aire de jeux en bas de l'immeuble. Et puis, il y a tout à proximité de chez nous. Le matin, je dépose les filles à l'école à pied avant de prendre le tramway pour aller travailler dans le centre-ville. Julien fait du covoiturage avec un voisin pour se rendre au bureau. On n'a pas de problèmes d'embouteillages et on a même pu vendre notre deuxième voiture. Non, vraiment, on ne regrette pas notre choix !

Piste 56
Activité 16

Nous allons parler de culture maintenant avec le Festival Arts-Angers qui se déroulera dans la ville d'Angers les 6, 7 et 8 septembre. Un programme chargé et varié pour la 15ᵉ édition de ce festival !
Le vendredi, j'ai sélectionné deux spectacles. À 17 heures, de la comédie et du théâtre de rue avec la compagnie Screugneugneu qui, comme toujours, fera participer le public. Ou bien, à 19 heures, un concert du groupe Rouge. Ils sont deux, elle au chant, lui à la guitare. Leurs textes sont beaux, c'est mon premier coup de cœur de ce festival !
Le samedi 7 septembre, tout l'après-midi, ne manquez pas la sculptrice Anna qui réalisera une œuvre dans la rue. Le soir, un funambule reliera deux tours du château d'Angers. Pour cette performance, il sera accompagné d'un ensemble de musique bretonne.
Le dimanche midi, mon deuxième coup de cœur : du cirque avec la compagnie Nomade, un duo qui propose un spectacle plein d'humour. L'après-midi enfin, une conteuse emmènera les enfants et leurs parents dans un voyage en Afrique.

Piste 57
Activité 19

– Moi, j'habite à Saint-Étienne. OaKoAk est originaire de cette ville et j'en suis fière ! J'adore ce qu'il fait ! Quand je me promène dans la rue, quelquefois, je découvre une œuvre, ça m'amuse. C'est toujours drôle et quelquefois poétique…
– Moi aussi j'aime bien ! L'autre jour, j'ai vu un conteneur à verre transformé en monstre, juste avec des dents collées dessus. Par contre, deux semaines plus tard, ça avait disparu. Ses œuvres sont éphémères, c'est dommage… Ce serait bien qu'il fasse des choses moins fragiles.
– D'accord, d'accord, c'est amusant, mais je doute que ce soit de l'art ! Il a de l'imagination, c'est vrai, mais est-ce que c'est un artiste ? On entend souvent dire que les graffitis sont de l'art, ça m'agace !

Piste 58
Activité 23

– Pourquoi tu ne prends pas un appartement en colocation ? Tu auras plus d'espace. Tu as envie de te retrouver dans un petit studio où tu es obligé de plier le lit tous les matins pour pouvoir marcher ?
– Il y a plein d'avantages, tu paies moins cher de loyer, tu économises sur les charges.
– En plus tu vas t'installer dans une ville que tu ne connais pas, tu pourras rencontrer plein de gens sympas ! Toi qui es si timide !
– Allez viens, on va regarder sur Internet, il y a plein de sites pour trouver des colocataires !

Corrigés

Unité 0 La langue française en action

Activité 1 – page 4
a. Ils **sont** francophones, ils **parlent** français.
b. Elle **a** 20 ans et son frère **est** plus jeune qu'elle.
c. Nous **commençons** les cours à 9 heures et nous **terminons** à 15 heures.
d. Tu **étudies** le français ? Comment tu t'**appelles** ?
e. Quand vous **voyagez** à l'étranger, vous **envoyez** toujours des cartes postales à vos parents.
f. J'**essaie** de parler français avec mes amis, j'**espère** faire des progrès.

Activité 2 – page 4
Les touristes dorm(**ent** / ons) à l'hôtel.
Il fait trop chaud, j'ouvr(**e** / es) la fenêtre.
Les étudiants sérieux réuss(issez / **issent**) leurs examens.
Qu'est-ce qu'on fait ce soir ? On sor(**t** / s) ?
Vous chois(issent / **issez**) du fromage ou un dessert ?

Activité 3 – page 5

	Une personne	Plusieurs personnes	On ne sait pas
Ex : elle apprend le français	X		
1	X		
2		X	
3	X		
4			X
5		X	
6	X		
7			X
8		X	

Activité 4 – page 5
Je **vis** à Bucarest. Je **suis** chauffeur-routier. Dans mon entreprise, nous **faisons** du transport international. Je **conduis** des camions dans toute l'Europe. Je **pars** pendant trois ou quatre jours. Quelquefois, je **dors** dans mon camion. En Roumanie, beaucoup de gens **comprennent** le français mais les jeunes ne **savent** pas bien parler français. Moi, j'**aime** cette langue parce qu'elle me **permet** de communiquer en France, mais aussi en Belgique et en Suisse.

Activité 5 – page 5
Elle **s'appelle** Maria Isabel mais ses amis **disent** Maribel. Elle **vient** d'Espagne mais elle **vit** à Toulouse. Elle **habite** en colocation avec Pilar, une amie espagnole. Elles **apprennent** toutes les deux le français à l'Alliance Française. Elles **suivent** des cours dans la même classe. Maria Isabel **espère** devenir professeur de français et Pilar **veut** travailler dans le domaine du tourisme.

Activité 6 – page 6
France n.f. (lat. *francia*) Pays d'Europe de l'Ouest
français, e adj. et n. Qui vient de France.
langue n.f. (lat. *lingua*) Ensemble de mots qui permet de communiquer.
mot n.m. Son ou groupe de sons qui a un sens.

Activité 7 – page 6
Marion : Tu viens d'où ?
Anousha : De l'île Maurice, une petite île dans l'océan Indien.
Marion : Ah oui ? On parle français à l'île Maurice ?
Anousha : Oui, beaucoup de gens parlent français. Mais on a des mots différents. Par exemple, tu connais le mot « aïo » ?
Marion : Non, **qu'est-ce que ça signifie** ?
Anousha : **C'est** une expression comme « Oh ! Là, là ! ». On l'utilise quand on est surpris par exemple.
Marion : Ah, d'accord.
Anousha : Et si je te dis « Viens chez moi, on va casser une pause et manger un pain fourré », tu comprends ?
Marion : Ben non ! **Ça veut dire quoi** ?
Anousha : « Casser une pause », **ça veut dire** se reposer et « un pain fourré », c'est une sorte de sandwich chaud ou froid.

Activité 8 – page 7
a. une carte de France – **b.** une mappemonde – **c.** un plan de ville – **d.** le plan de métro parisien

Activité 9 – page 7

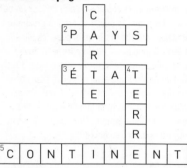

Activité 10 – page 7
a. Nous (disons/**parlons**) avec nos parents au téléphone.
b. Ils (**écoutent**/expliquent) bien leur professeur.
c. Notre professeur (justifie/**explique**) bien.
d. Je cherche la définition des (**mots**/phrases) dans le dictionnaire.

Activité 11 – page 8
a. Nous allons nous inscrire à l'université.
b. Elle ne va pas oublier la grammaire française.
c. Vous allez vous installer à Paris.
d. Je ne vais pas rester dans mon pays.
e. Ils ne vont pas se reposer !

Activité 12 – page 8
Anne : a – b – d
Lise : a – c – d

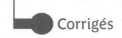

Activité 13 – page 9

	Inviter à faire quelque chose	Conseiller	Donner un ordre
a.	X		
b.		X	
c.			X
d.		X	
e.	X		
f.		X	

Activité 14 – page 9

a. Réserve ton billet à l'avance pour payer moins cher.
b. Apprends quelques mots de français.
c. Choisis deux ou trois villes intéressantes.
d. Renseigne-toi sur le temps qu'il fait.
e. Si tu voyages avec un ami, **informez-vous** sur les hôtels qui proposent des chambres doubles.
f. Quand vous serez arrivés, **profitez** bien de votre voyage !

Activité 15 – page 10

1f – 2e – 3c – 4a – 5b – 6d

Activité 16 – page 10

a. Elle fait de la natation.
b. Il fait du théâtre.
c. Il fait du football.
d. Il fait de la musique.
e. Elle fait de la photographie.

Activité 17 – page 10

1b – 2e – 3d – 4c – 5a

Activité 18 – page 11

	il / elle est capable	il / elle est incapable
a.	X	
b.	X	
c.		X
d.		X
e.	X	

Activité 19 – page 11

a. C'est ton stylo ?
☒ Non, c'est le stylo de Marc.
☐ Non, c'est mon stylo.

b. Vous êtes bon en dessin ?
☒ Non, mes enfants disent que je suis nul !
☐ Leur dessin est très joli !
c. Tu t'inscris aux jeux de la Francophonie ?
☐ Oui, mon ami joue bien.
☒ Oui, je veux montrer mes talents de danseur.
d. Mathieu et Céline vont faire cette randonnée avec leurs enfants ?
☐ Non, ses enfants sont trop petits.
☒ Non, ils sont trop petits.

Activité 20 – page 11

Dans ma famille, tout le monde a un ou plusieurs talents ! José et Sarah, **mes** parents, sont de très bons musiciens. Avec **sa** guitare, **mon** père peut jouer du jazz, du rock et aussi du flamenco ! Et **ma** mère chante très bien ! **Sa** voix est magnifique et j'adore **ses** chansons.
Ils préparent **leur** spectacle tous les vendredis soirs et montrent **leurs** talents dans un café du quartier.

Bilan 1 – page 12

– Je suis canadien mais je suis francophone.
– Francophone ? C'est quoi ?
– **Ça signifie** que je parle français. Le français est ma langue maternelle.
– Ta langue maternelle ? **Qu'est-ce que ça veut dire** ?
– **C'est** la langue parlée dans ma famille. Mais nous parlons aussi le « chiac ».
– Le chiac ?
– Oui, c'est un dialecte. **C'est une sorte** de langue qui mélange l'anglais et le français.

Bilan 2 – page 12

	Vrai	Faux
1.	X	
2.		X
3.		X
4.	X	

Bilan 3 – page 12

a. Elle fait de la danse.

b. Il fait de la natation.
c. Ils font de la musique.
d. Elle fait de la sculpture.
e. Ils font de la magie.

Bilan 4 – page 12

a. Est-ce que tu es capable **de** sauter dans la piscine ?
b. Tristan ne sait pas ∅ parler anglais.
c. Il est très bon **en** histoire, il connaît tous les rois de France.
d. Je n'arrive pas **à** porter ce sac, il est très lourd !

Bilan 5 – page 13

– Bonjour ! Je **m'appelle** Awa et j'**ai** 21 ans. J'**apprends** le droit à l'université d'Abidjan, en Côte d'Ivoire. Je **dors** dans une chambre sur le campus avec deux amies. Nous **partageons** la cuisine et la salle de bains avec six autres étudiantes.
– Moi, c'est Alice. Je **possède** un salon de coiffure sur le campus de l'université. J'**ouvre** le salon en fin d'après-midi et les étudiants **viennent** après leurs cours.

Bilan 6 – page 13

a. Elle apprend le français parce qu'elle **va étudier** à Lyon l'année prochaine. Elle **va suivre** des cours à l'école d'architecture.
b. Attention ! Tu **vas tomber** et tu **vas te blesser** !
c. Pendant les vacances, je vais dans le sud de la France. Il y a plein de choses intéressantes à faire, je **ne vais pas m'ennuyer** !

Bilan 7 – page 13

a. Écoute bien le professeur.
b. Si tu ne comprends pas, pose des questions.
c. Parle français avec les autres étudiants.
d. Fais quelques exercices du cahier.
e. Essaie de regarder des films en français.

Bilan 8 – page 13

a. Quel est **votre** nom, madame ?
b. J'ai 25 ans aujourd'hui, c'est **mon** anniversaire.
c. N'oublie pas **ton** passeport pour prendre l'avion !

d. Ils ont deux enfants. **Leurs** enfants s'appellent Manon et Louis.
e. Lili va partir en vacances avec **son** mari.

Module 1 | Multiplier ses contacts

Unité 1 Aller à la rencontre des autres

Activité 1 – page 14
a. Hekmat voit sa famille 12 fois par an. → Elle prend le train pour rendre visite à sa famille **tous les mois**.
b. Mes voisins sont souvent absents. → Je rencontre **rarement** mes voisins.
c. Mon grand-père adore Internet. Il m'écrit **souvent** des mails.
d. Jean est passionné de natation. → Il va à la piscine **tout le temps**.
e. Valérie travaille beaucoup et rentre tard du travail. → Elle rentre **de temps en temps** tôt pour faire du sport.
f. Mon frère ne donne pas beaucoup de nouvelles. → Mais il vient **parfois** me voir.

Activité 2 – page 14

écouter de la musique	toujours
chanter	tout le temps
le cinéma	quelquefois
boire un café avec des copines	de temps en temps
aller en boîte de nuit	jamais
l'opéra	parfois

Activité 3 – page 14
Personne 2 : Il noue **rarement** de nouvelles relations.
Personne 3 : Il rencontre **souvent** des nouvelles connaissances.
Personne 4 : Elle s'est **parfois** fait des amis au travail.

Activité 4 – page 15
a. Paul **boit** du jus d'orange tous les matins.
b. Mes grands-parents **boivent** du café au lait au petit déjeuner.
c. Vous **buvez** du thé ?

d. Tu **bois** du soda chaque jour.
e. Mes sœurs et moi **buvons** du lait frais depuis que nous sommes petites.

Activité 5 – page 15

Verbe	Participe passé	Accord du participe passé ?
tomber	tombé	Elle est tombée dans l'escalier.
venir	venu	Elles sont venues hier soir.
courir	couru	Nous avons couru le marathon de New York.
recevoir	reçu	Lydie Salvayre a reçu le prix Goncourt 2014.
rester	resté	Ils sont restés à la piscine jusqu'à 20 heures.
lire	lu	Vous avez lu le dernier livre de David Foenkinos ?

Activité 6 – page 15
a. Ma sœur et mon frère **ont choisi** un magnifique cadeau pour nos parents.
b. Le bébé **est né** à 2 h 00 du matin. C'est une jolie petite fille !
c. Tu **es descendu** du train à 18 h 00.
d. Jacques **est retourné** en Chine l'année dernière.
e. Nous **n'avons jamais lu** ce livre de Victor Hugo.
f. Est-ce qu'elle **est venue** avec sa mère ?

Activité 7 – page 16
Proposition de corrigé :
a. Les enfants **sont descendus pour ouvrir les cadeaux**.
b. Le garçon **est tombé par terre**.
c. Ils **sont sortis de l'ascenseur**.
d. Les jumeaux **sont nés**.
e. **L'homme** est monté sur l'échelle.

Activité 8 – page 16
1b – 2e – 3a – 4c – 5f – 6d

Activité 9 – page 16
a. Mathilde ? C'est la voisine **qui** sort toujours avec un petit chien blanc.
b. C'est cette chemise **que** je veux acheter.
c. Mon collègue est un homme **qui** est très drôle.
d. La photographie est le loisir **que** je préfère.
e. C'est le frère de Charlotte **qui** parle français.

f. Je te présente Consuelo **que** j'ai rencontrée à l'université.

Activité 10 – page 17
a. Ce que je préfère sur Internet ce sont les sites d'information.
b. Ce que je fais comme sport, c'est du jogging.
c. Ce que je veux faire comme métier, c'est journaliste.
d. Ce qui m'intéresse, c'est la littérature japonaise.
e. Ce que je souhaite apprendre, c'est le français, l'arabe et l'espagnol.

Activité 11 – page 17

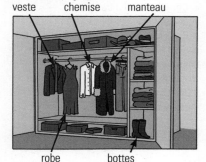
veste   chemise   manteau
robe   bottes

Activité 12 – page 17
2f – 3e – 4d – 5b – 6c

Activité 13 – page 18
b. Jean-Luc – **c.** Ludovic – **d.** Mélissa – **e.** Oscar – **f.** Aude

Activité 14 – page 18
a. calme – **b.** dangereux – **c.** drôle – **d.** intelligent

Activité 15 – page 18
impatient / souriant / gourmand
hypocrite / courageux / doux
égoïste / drôle / créatif
intelligent / sympathique / **jaloux**
joyeux / **paresseux** / organisé

Activité 16 – page 19
a. original, sensible, tendre
b. extraordinaire, gentille, intelligente
c. courageuse, créative, généreuse
d. sévère, drôle et imaginatif

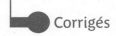

Activité 17 – page 19
a. Cette rue est bruyante.
b. Les acteurs de ce film sont géniaux.
c. Ils ne sont pas très sportifs
d. Ces belles fleurs sont des lys.
e. Les émissions de télévision du samedi soir sont ennuyeuses.

Activité 18 – page 19
Je les ai rencontrées en Argentine. C'était mes premières étudiantes. Elles étaient grandes, timides et un peu peureuses.

Activité 19 – page 19

féminin	masculin
généreuse	drôle
	gourmand
	bruyant
	jaloux

Activité 20 – page 20
1f – 2e – 3b – 4a – 5d – 6c

Activité 21 – page 20
a. Elle était heureuse.
b. Nous mangions à la cantine.
c. Vous connaissiez la fin de l'histoire.
d. Ils essayaient d'écouter.
e. Tu choisissais toujours l'éclair au chocolat.
f. Nous comprenions tout.

Activité 22 – page 20
Mon lieu préféré dans la maison quand **j'étais** petit, c'était la cour. Nous **n'avions** pas de jardin ni de balcon, mais une petite cour qui donnait sur la cuisine et le salon de la maison. C'était petit, mais ça me **paraissait** immense. Je **jouais** pendant des heures avec mon frère et mon père nous **regardait** gentiment pendant qu'il **faisait** la cuisine. Il y **avait** une plante géante qui faisait de l'ombre en été et qui nous **protégeait** de la pluie. On **jouait** à cache-cache entre les pots de fleurs et on **faisait** des barbecues en famille en été.

Activité 23 – page 21
a. Les _habitants de cette ville sont _adorables.

b. Je ne vous _ai pas reconnu !
c. Je vais courir de temps _en temps au parc.
d. J'ai pris un billet pour partir avec mes _enfants et ma femme.
e. Nos _amis sont très sportifs.
f. Ils _adorent aller marcher avec leurs _enfants.
g. Mes _amis adorent le chocolat.
h. Ça fait deux _heures que je vous _attends !
i. On _appelle ton _oncle ?

Activité 24 – page 21
a. C'est un homme sportif et courageux.
b. Cet hiver, je pars à la mer au soleil !
c. J'ai toujours un livre dans mon sac à main.
d. Il est très jaloux de son ami.
e. Cette émission est vraiment superficielle.
f. Tu en as combien ? J'en ai seulement cinq.
g. Un jour, on ira dans ce nouveau bar.
h. Il prend son temps pour faire ses courses.
i. C'est un garçon très intelligent.

Activité 25 – page 21
Proposition de corrigé :
– Bonjour ! Cela fait tellement longtemps que l'on ne s'est pas vu. Regarde, j'ai quelque photo de Nicolas.
– Il a une famille ! Il est marié depuis quand ? Quels âges ont ses enfants ? Comment s'appellent sa femme et ses enfants ?
– Il est marié depuis 10 ans maintenant, sa femme s'appelle Magali, ses filles, Laurie et Fanny, ont 8 et 6 ans. Ils n'habitent plus ici.
– Où est-ce qu'ils habitent ? À la montagne ?
– Oui, ils habitent en Suisse, à la montagne. Ils font du ski en famille.
– Est-ce qu'il fait beaucoup de compétitions ?
– Oui, il a gagné des prix dans des compétitions de ski.

Activité 26 – page 21
Proposition de corrigé :
Au printemps les fleurs s'épanouissaient pour attirer les papillons violets.

Bilan 1 – page 22
a. Tu n'as **jamais** vu ce film ?
b. Vous faites du sport **tous les jeudis**.
c. Je ne suis pas ponctuel, je suis **toujours** en retard. C'est un problème.
d. Nous vivons au Japon alors nous parlons **rarement** français.
e. Je vais **quelquefois** dans ce parc, mais il est un peu loin de ma maison.

Bilan 2 – page 22
Pour aller au club de vacances en Provence, j'ai mis dans ma valise trois **shorts** et beaucoup de **tee-shirts** à manches courtes pour faire du sport. Une **casquette** pour me protéger du soleil. Un **maillot de bain** car je vais me baigner ça c'est sûr. Je ne prends pas de **pull** parce qu'il fait très chaud là-bas au mois d'août.
Et quelques belles **chemises** pour le soir.

Bilan 3 – page 22
a. Paul est égoïste. **b.** Sophie est timide.
c. Gérard est travailleur. **d.** Marianne est patiente.

Bilan 4 – page 22
a. Vous êtes (arrivé/**arrivés**/arrivée) en gare de Nice.
b. Elle a (faites/faite/**fait**) une belle tarte aux fraises.
c. Marie et Paul sont (allé/**allés**/allées) au musée d'histoire naturelle.
d. Nous avons (**couru**/courues/courus) toute la matinée.
e. Grand-père est (**venu**/venus/venue) chez nous cet été.

Bilan 5 – page 23
a. Mon voisin m'a donné des fraises **qu'**il cultive dans son jardin.
b. J'ai un frère **qui** s'appelle Fabien.
c. Tu dois faire **ce que** je te demande.
d. Vous devez me dire **ce qui** ne va pas.
e. **Ce qui** est important, c'est de bien dormir et bien manger.

Bilan 6 – page 23

a. Il est gentil. – **b.** Elle est douce. –
c. Elle est pensive. – **d.** Elles sont loyales.
– **e.** Elle est furieuse.

Bilan 7 – page 23

a. Nous **riions** beaucoup devant ce
spectacle.
b. Elle **s'endormait** souvent devant la
télévision.
c. Est-ce que tu **jouais** aux jeux vidéo
quand tu étais petit ?
d. Le père et le fils **faisaient** toujours une
partie de cartes le dimanche.
e. Vous **étiez** en vacances quand je vous ai
téléphoné.

Bilan 8 – page 23

a. Vous‿êtes nouveaux dans le quartier ?
b. Ils‿ont trois‿enfants.
c. J'ai pris le train et le bus.
d. On‿a un‿ami en commun.
e. Ils‿ont un fils et deux filles.

Bilan 9 – page 23

a. Il est brun et roux.
b. Il est grand et blond.
c. C'est un homme souriant et charmant.
d. C'est une femme gentille et aimante.
e. C'est un enfant calme et obéissant.

Unité 2 Enrichir son réseau

Activité 1 – page 24

a. Arrêter de voir quelqu'un : **perdre de vue**
b. Faire que des personnes se rencontrent :
mettre en relation
c. Se mettre en contact avec quelqu'un :
entrer en relation avec
d. Faire passer une information d'une
personne à une autre : **transmettre**

Activité 2 – page 24

Dialogue 1. **amical**
Dialogue 2. **professionnel**
Dialogue 3 : **familial**

Activité 3 – page 24
Proposition de corrigé :
Nadia : Elle peut avoir des places gratuites
pour aller au cinéma.
Caroline : Elle joue du piano, nous pouvons
faire de la musique ensemble.
Lucien : Il a une maison dans le Sud de
la France, je peux y aller pendant les
vacances.
Annie : Elle parle anglais, elle peut m'aider
à communiquer quand je voyage.

Activité 4 – page 25

a. Mes parents **mettent** 45 minutes pour
venir chez moi en voiture.
b. Tu **mets** la table s'il te plaît, le repas
est prêt.
c. Avec mes collègues, nous **transmettons**
tous les courriers à notre secrétaire.
d. Je **mets** toujours les dossiers importants
au-dessus des autres.
e. Le 11 novembre est un jour férié,
transmettez bien l'information aux
étudiants absents.
f. Son amie **met** toujours le même pantalon
bleu avec le même pull noir.

Activité 5 – page 25

	Oui	Non
a.	☒	☐
b.	☐	☒
c.	☐	☒
d.	☒	☐
e.	☒	☐
f.	☒	☐

Activité 6 – page 25

a. mes collègues - **b.** Paul – **c.** mes sœurs
d. mon fiancé et moi – **e.** le réseau social –
f. mon appartement.

Activité 7 – page 26

personne 1 : b – personne 2 : a –
personne 3 : c

Activité 8 – page 26

Avant, à la place de ce cinéma, il y (**avait**/a
eu) un café Internet. On (**pouvait**/a pu)
boire un café, discuter dans le coin salon
et surfer sur Internet de l'autre côté.
Et puis, les difficultés (commençaient/

ont commencé) avec la concurrence
et l'ouverture d'autres cafés Internet.
Celui-là, (**c'était**/ça a été) vraiment le
plus sympathique. (Je rencontrais/**j'ai
rencontré**) plein de gens et je me (faisais/
suis fait) des amis.

Activité 9 – page 26

a. il dormait. – **b.** le chat a eu peur. –
c. le professeur écrivait. – **d.** mon chien
m'a sauté dessus.

Activité 10 – page 27

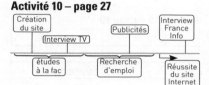

Activité 11 – page 27

Je m'appelle Adèle Goulin, j'ai 26 ans et
je viens de finir mes **études** de commerce.
J'ai obtenu mon **Master** en marketing et
je recherche un **emploi** à l'international.
J'ai de nombreux **atouts** pour travailler
à l'étranger puisque je m'adapte très
rapidement et que je parle 4 langues
étrangères (j'ai des **diplômes** en anglais
et en allemand).
Je vous envoie également mon **CV**.
Cordialement,
Adèle Goulin.

Activité 12 – page 27

a. Il faut faire des études d'informatique.
b. Il faut faire des études de sciences.
c. Il faut faire des études de médecine.
d. Il faut faire des études de sport.
e. Il faut faire des études de cuisine.

Activité 13 – page 28

a. personne n°4 – **b.** personne n°3 –
c. personne n°2 – **d.** personne n°1

Activité 14 – page 28

– Alors, comment s'est passé ton
entretien ?
– Oh ! Là, là !, j'ai peur de ne pas avoir
le travail… Je n'ai pas toutes les
compétences qu'ils recherchent.
– Tu as quand même trois ans

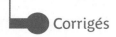

d'**expérience** et de nombreuses **qualités** personnelles !
– C'est vrai, mais je doute toujours de mon **savoir-faire**…
– Et tu as parlé de tous tes **atouts** ? : Tu parles plusieurs langues, tu es très forte en informatique et tu as l'habitude de voyager.
– Oui, ça, je n'ai pas oublié !

Activité 15 – page 28
1b – 2d – 3e – 4a – 5c

Activité 16 – page 29
a. Atouts : Participation à des rallyes automobile – Meilleur ouvrier de France 2009
b. Compétences : Changer une roue – Réparer des voitures

Activité 17 – page 29
	Oui	Non
a.	☒	☐
b.	☐	☒
c.	☐	☒
d.	☒	☐
e.	☐	☒
f.	☒	☐

Activité 18 – page 29
a. Vous aimez tellement faire la cuisine, **ayez votre restaurant. / vous devez avoir votre restaurant. / vous devriez avoir votre restaurant.**
b. Tu vas trouver un poste intéressant, **ne sois pas inquiet. / tu ne dois pas être inquiet. / tu ne devrais pas être inquiet.**
c. Nos vacances ne vont pas durer, **profitons du soleil. / nous devons profiter du soleil. / nous devrions profiter du soleil.**
d. Ton ordinateur est fragile, **prends en soin. / tu dois en prendre soin. / tu devrais en prendre soin.**
e. Pour avoir un bon travail, **finis tes études. / tu dois finir tes études. / tu devrais finir tes études.**

Activité 19 – page 30
a. conseil – **b.** surprise – **c.** ordre – **d.** conseil – **e.** conseil – **f.** souhait

Activité 20 – page 30
a. J'ai rencontré Mathieu **il y a** 2 jours et je lui ai raconté ma vie **depuis** la fin du Lycée.
b. Depuis 10 ans, il travaille dans un cinéma.
c. Il a d'abord commencé comme caissier **pendant** 2 ans puis il a évolué.
d. Il y a quelques mois, il est devenu responsable et tout se passe très bien.

Activité 21 – page 30
1c – 2d – 3a – 4b

Activité 22 – page 30
« Ce Jean-Philippe Sève a un profil plutôt intéressant : il a commencé à travailler à Areva en **2011**. Il y a à peu près 12 ans, il a eu son premier stage : en **2005**. Il a donc déjà une importante expérience professionnelle. Depuis **2011**, il est dans la même société, à Paris, même s'il a pas mal bougé : en **2002**, il était à Lyon. J'ai lu aussi qu'il avait fait ses études à Toulouse. Et puis, il connaît le poste : il est assistant de direction depuis **2013**. »

Activité 23 – page 31
a. Votre fils fait partie de l'équipe de tennis.
b. Il fait partie de votre famille.
c. J'ai pris une semaine de vacances.
d. Bienvenue à tous les nouveaux voisins !
e. Il est sûrement en retard !
f. Votre amie est repartie.
g. Votre copain est arrivé en premier.

Activité 24 – page 31
a. Une belle création.
b. Un réseau important.
c. Un voyage en train et en car.
d. Un enfant adorable.
e. Un garçon adroit.
f. J'aime le chocolat et le lait.
g. J'adore le thé et le café.

Activité 25 – page 31
Proposition de corrigé :
– Bonjour, tu vas bien ? Pourquoi tu m'appelles ?
– Bonjour maman, je t'appelle pour l'anniversaire d'Adrien, je voulais lui préparer une fête surprise pour ses 25 ans.
– Ça, c'est une bonne idée, tu m'appelles pour avoir un peu d'aide c'est ça ? Est-ce que tu as déjà pensé à un endroit et une date ?
– Oui, je voulais organiser ça chez moi dans 1 mois mais je ne sais pas trop ce que je dois faire ensuite. Qu'est-ce que tu me conseilles ?
– Ensuite ? Tu pourrais penser au thème de la soirée ; pour choisir la nourriture et les boissons, la musique, pourquoi pas des costumes!
– Ah oui c'est une bonne idée ! Une soirée super héros pourquoi pas !Et après, qu'est-ce qui est important ?
– Tu ne dois surtout pas oublier de faire la liste des invités, d'envoyer les invitations et de demander qui vient et qui ne vient pas !

Activité 26 – page 31
Proposition de corrigé :
Erwan couderc
126 boulevard Victor Hugo
69007 Lyon
06.xx.xx.xx.xx
Erwan.couderc@yahoo.fr

Objet : Présentation pour le poste de testeur de voyage.

Madame, Monsieur,

J'ai trouvé votre annonce sur Internet et je suis intéressé par le travail de testeur de voyage.

Je pense être parfait pour travailler avec vous. Je voyage au moins 3 ou 4 fois dans l'année. Je connais donc déjà beaucoup de pays et de régions différentes. Je suis curieux et j'aime l'aventure et les nouvelles expériences.

Ce travail me permettrait de transformer une de mes activités principales en travail et cela me convient tout à fait.

Comme j'ai fait des études de littérature et travaillé dans une maison d'édition, je suis organisé et j'ai l'habitude de faire des comptes-rendus.

J'espère que ma lettre vous convient, je suis disponible pour toute demande d'information.

Sincères salutations,

Bilan 1 – page 32

Aujourd'hui, il est important d'avoir un **réseau**. Qu'il soit familial, amical ou professionnel, il faut l'entretenir cultiver.
À l'université, les **professeurs** ont des contacts pour trouver des stages.
Avec les connaissances des réseaux sociaux ou les **amis** de la vie quotidienne, on peut toujours découvrir des possibilités intéressantes.
Les **collègues** permettent d'enrichir le réseau professionnel : cela peut servir si on veut un jour changer de travail !
Il ne faut pas oublier son cercle **familial** car les parents, les frères et sœurs et même les cousins éloignés peuvent nous permettre de trouver un appartement ou un travail.

Bilan 2 – page 32

4. stage / 3. université / 1. lycée / 6. emploi / 2. baccalauréat / 5. diplôme de Master

Bilan 3 – page 32

Mathilde est parfaite pour ce travail. Comme elle était en stage dans l'entreprise, elle a déjà acquis un certain **savoir-faire** : elle connaît le personnel et elle sait utiliser les différents logiciels. Par contre, elle **ne maîtrise pas** les nouveaux programmes mais elle apprend vite et c'est un **atout** important. Avec toutes ses **compétences**, nous devons l'embaucher !

Bilan 4 – page 32

a. Je préfère ne pas **la** voir.
b. Mes amis Ethel et Loïc **les** aiment beaucoup.
c. Je **les** ai données à mon petit frère.
d. Est-ce que vous **l'**avez envoyée ?
e. Est-ce que tu **l'**as ?

Bilan 5 – page 33

1c – 2e – 3a – 4b – 5d

Bilan 6 – page 33

a. Tu (**devrais inviter** / inviterais) tes amis plus souvent.
b. Tu n'as pas appelé ta mère cette semaine ; tu (fais /**dois faire**) plus d'efforts.
c. Pour avoir plus d'énergie, (**bois** / tu boiras) plus de jus d'orange.
d. S'il pleut, vous (**pourriez** / pouviez) jouer aux cartes.
e. Marie-Claire (a pris / **devrait prendre**) quelques jours de vacances.

Bilan 7 – page 33

4a – 5b – 1c – 3d – 2e

Bilan 8 – page 33

a. Tu as téléphoné au médecin ?
b. Oui, mais il n'y a pas de place pour la semaine.
c. Et la semaine d'après, c'est possible ?
d. Oui, j'ai pris le rendez-vous. Je l'ai noté sur ce papier.

Bilan 9 – page 33

a. J'ai lu un journal.
b. J'ai vu une information intéressante.
c. J'ai obtenu des résultats approximatifs.

Unité 3 Vivre l'information

Activité 1 – page 34

a. des rubriques
b. un titre
c. un article
d. une journaliste
e. mots-clés

Activité 2 – page 34

a. Lire : un magazine – un article – **la radio**
b. Feuilleter : un journal – **l'actualité** – un magazine

c. Regarder : **la radio** – le journal télévisé – une vidéo
d. Cliquer sur : un mot-clé – un titre – **un lecteur**
e. S'abonner à : un magazine – un journal électronique – **un mot-clé**
f. Télécharger : **un auditeur** – un article – une vidéo

Activité 3 – page 34

	Type de médias utilisés	Pourquoi ?
Anaïs	télévision	Pour discuter en même temps avec ses parents de l'actualité.
Éric	Internet	Pour trouver l'information immédiatement.
Tarik	Presse écrite : journal gratuit	Pour gagner du temps en lisant des articles simples et courts.

Activité 4 – page 35

a. Est-ce que tu **suis** l'actualité ?
b. Les enfants **suivent** les conseils de leurs parents.
c. Nous **suivons** les informations à la télé.
d. Je **suis** un cours d'histoire de l'art, c'est vraiment intéressant !
e. Combien de cours est-ce que vous **suivez** cette année ?
f. Il **suit** le guide de randonnée.

Activité 5 – page 35

a. Quelle radio écoute-t-il ?
b. Pour quel journal écrit-elle des articles ?
c. Où entend-il ces informations ?
d. Comment les jeunes s'informent-ils ?
e. Pourquoi lit-on moins en France que dans d'autres pays d'Europe ?
f. Quelles rubriques consulte-t-on le plus souvent ?

Activité 6 – page 35

a. Lisez-vous le journal ?
b. Êtes-vous abonné à un magazine ?
c. Quels sites consultez-vous régulièrement ?

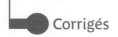Corrigés

d. Quand écoutez-vous la radio ?
e. Faites-vous confiance aux médias ?

Activité 7 – page 36
Proposition de corrigé :
a. Quel âge avez-vous ?
b. Quel type de média utilisez-vous le plus souvent ?
c. Quelle rubrique consultez-vous en priorité ?
d. Combien dépensez-vous pour vous informer ?

Activité 8 – page 36
a. un / **une** signature
b. un / une passage
c. un / **une** destruction
d. un / une changement
e. un / **une** baisse
f. un / **une** venue
g. un / une développement

Activité 9 – page 36
a. une venue   **venir**
b. une production   **produire**
c. une arrivée   **arriver**
d. une prise   **prendre**
e. une augmentation   **augmenter**
f. une vente   **vendre**

Activité 10 – page 36
a. France : **Fermeture** de l'usine Peugeot-Citroën d'Aulnay-sous-Bois.
b. Politique : **Signature** d'un accord sur les forêts françaises entre le gouvernement et les associations.
c. International : **Élection** du Président à Madagascar.
d. Économie : **Augmentation** du chômage en septembre. Le nombre de chômeurs a atteint 3,2 millions.

Activité 11 – page 37
a. un smartphone – **b.** une tablette – **c.** un utilisateur – **d.** une arobase – **e.** un hashtag

Activité 12 – page 37
Comment écrire un tweet ?
Twitter est un **réseau social** qui compte près d'un demi-milliard d'**utilisateurs**

dans le monde et qui permet d'envoyer des **messages** (appelés tweets) à une liste de contacts personnels. Vous voulez écrire des tweets ? Voici comment faire :
Avant d'écrire un tweet, vous devez vous inscrire et créer votre **profil**.
Vous pouvez ensuite écrire votre message qui ne doit pas faire plus de 140 **caractères**.
Si vous voulez qu'un maximum de personnes lisent votre message, vous pouvez inclure des **hashtags**, c'est-à-dire des mots-clés signalés par un symbole #.
Enfin, vous pouvez envoyer votre message en cliquant sur « Update ».

Activité 13 – page 37

	vrai	faux
a.	X	
b.		X
c.	X	
d.		X
e.	X	
f.	X	
g.		X
h.	X	
i.		X

Activité 14 – page 38
a. un message électronique – **b.** une petite annonce – **c.** un SMS – **d.** un tweet

Activité 15 – page 38
a. ÉCRIRE
b. ÉCOUTER
c. DÉPOSER
d. RÉDIGER
e. CLAMER
f. ENVOYER
g. RECEVOIR
h. OUVRIR

L'expression cachée est : COUP DE CŒUR

Activité 16 – page 39
1c – 2e – 3b – 4a – 5d

Activité 17 – page 39
1a – 2d – 3e – 4b – 5c

Activité 18 – page 39
a. Je vais acheter un magazine et je vais (**le** – la – lui) feuilleter en attendant le train.
b. J'envoie un message à Jean-François pour (le – la – **lui**) demander s'il est libre ce soir.
c. Elle aime prendre des photos et (la – **les** – leur) partager avec ses amis sur Internet.
d. Pour mes 20 ans, mes parents (**m'** – l' – les) ont offert une tablette.
e. Ils n'ont pas répondu au téléphone alors je (l' – les – **leur**) ai laissé un message.
f. Tu as des nouvelles de Fred et Marie ? Ils (**t'** – l' – les) ont téléphoné ?

Activité 19 – page 39
a. On **l'**écoute pour suivre l'actualité.
b. Il **leur** sert à téléphoner, envoyer des SMS ou prendre des photos.
c. On **le** lit pour s'informer.
d. On **lui** dépose des messages et il **les** clame dans la rue.

Activité 20 – page 40
a. Il dit qu'ils n'ont plus de connexion Internet chez eux.
b. Il demande s'il peut parler à un technicien.
c. Il demande si on sait d'où vient le problème.
d. Il demande quand la connexion va fonctionner.
e. Il dit que si on ne trouve pas de solution rapidement, ils vont changer d'opérateur.

Activité 21 – page 40
Je dis à Antoine que ça fait longtemps qu'on ne s'est pas vus et je lui demande **où il est maintenant**.
Il me dit **qu'il habite à Montréal avec sa copine Margot**.
Je lui demande **combien de temps il va rester**.
Il me répond **qu'il ne sait pas** et il me demande **si je suis toujours à Montpellier**. Il ajoute **qu'il va rentrer en France à Noël** et il me demande **si je serai chez moi**.
Je lui réponds **que j'habite toujours dans mon petit appart** et je lui dis **qu'il peut m'appeler quand il veut**.

cent dix-neuf **119**

Activité 22 – page 40

a. → Lucile
b. → Lucile
c. → Alba
d. → Hind
e. → Alba
f. → Hind

Activité 23 – page 41

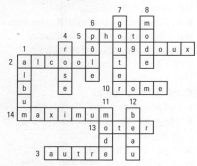

Activité 24 – page 41

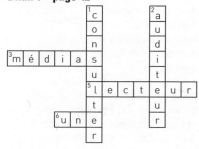

Départ			
NUIT	TUER		
	DEPUIS		
	LUI		
	SUIS		
NUAGE	LUEUR	FUITE	CUITE
			Arrivée

Activité 25 – page 41
Proposition de corrigé :

Ce n'est pas possible ! Tu t'intéresses aux nouvelles technologies, toi ? Et bien, regarde le journal ! Ils disent qu'il y aura bientôt une tablette aussi fine qu'une feuille de papier !
Ce n'est pas vrai ! Regarde, là, dans les pages « environnement ». Les scientifiques ont compté un million d'espèces animales dans les mers et les océans. Un million ! C'est beaucoup, non ? Et le plus étonnant : les légumes deviennent plus gros quand ils écoutent de la musique !

Activité 26 – page 41
Proposition de corrigé :

Écouter, mémoriser, échanger, parler, imaginer, regarder, communiquer, rêver… c'est tout ça apprendre le français !

Bilan 1 – page 42

		¹c		²a			
		o		u			
		n		d			
³m	é	d	i	a	s		
		s		i			
	⁵l	u		t			
		⁶u	n	e	r	

(grille de mots croisés : c. conso... a. auditeur m. médias l. lecteur u. une)

Bilan 2 – page 42

a. J'utilise (**mon smartphone** – mon lien – mon profil) pour prendre des photos, téléphoner, me connecter à Internet…
b. Elle a trouvé du travail grâce à (un hashtag – un utilisateur – **un réseau social**) professionnel.
c. Je suis assez curieux et je regarde souvent (**les profils** – les tablettes – les hashtags) de mes amis.
d. Il est étudiant en art et il a acheté (un lien – **une tablette** – un réseau social) pour pouvoir montrer facilement ses œuvres.
e. Ce site a un problème, je n'arrive pas à cliquer sur (les tablettes – **les liens** – les smartphones).

Bilan 3 – page 42

a. une petite annonce
b. une boîte aux lettres
c. un coup de cœur
d. un coup de gueule

Bilan 4 – page 42

a. Comment s'appelle-t-il ?
b. Est-il étudiant ?
c. Où habite-t-il ?
d. Lit-il le journal tous les jours ?
e. Comment s'informe-t-il ?

Bilan 5 – page 43

a. **Mariage** du Prince William avec Kate Middleton.
b. **Préparation** de l'exposition Vincent Van Gogh au Musée d'Orsay.
c. **Développement** des restaurants « Chez Tonton » en Italie.
d. **Protestation** des agriculteurs dans plusieurs pays d'Europe.
e. **Ouverture** d'un magasin Lovéa à Angers.

Bilan 6 – page 43

a. J'ai lu cet article et je (lui – **l'** – le) ai trouvé très intéressant.
b. Ça fait longtemps que je n'ai pas vu Anne-Lise. Je vais (la – **lui** – leur) téléphoner.
c. J'ai croisé Alex et Laetitia et je (lui – les – **leur**) ai dit « bonjour ».
d. De nombreux passants se sont arrêtés pour écouter Hyppolite et (lui – **l'** – le) ont applaudi.
e. J'ai acheté un smartphone mais je voudrais (**le** – lui – les) revendre.

Bilan 7 – page 43

a. Il demande au monsieur quelle est sa profession.
b. Il lui demande quel âge il a.
c. Il lui demande s'il est parisien.
d. Il lui demande s'il a participé à l'opération « Un jour de tweets à Paris ».
e. Il dit que 10 000 tweets ont été envoyés ce jour-là.
f. Il demande ce qu'il a pensé de cette journée.

Bilan 8 – page 43

a. C'est un bel album.
b. Ce sont de belles photos.
c. Où est passé Luc ?
d. Tu veux une pomme ?
e. Regarde ce tableau !

Bilan 9 – page 43

a. J'y vais depuis longtemps.
b. Je ne lui parle pas.
c. Je suis fatigué.
d. Bienvenue à tous !
e. J'ai lu un livre.

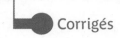

Module 2 — Évoluer dans un environnement

Unité 4 Interroger le passé

Activité 1 – page 44
a. Marc **se souvient** de son premier travail.
b. Léa est **nostalgique** du passé.
c. Lucien est toujours en contact avec son ami **d'enfance**.
d. Nous **nous rappelons** le nom de nos camarades.
e. Martin a évoqué ses **souvenirs** de famille.

Activité 2 – page 44
1e – 2a – 3d – 4c – 5b

Activité 3 – page 44
1e – 2c – 3b – 4a – 5d

Activité 4 – page 45

	vivre	valoir
je	vis	vaux
tu	vis	vaux
il /elle /on	vit	vaut
nous	vivons	valons
vous	vivez	valez
ils /elles	vivent	valent

Activité 5 – page 45
a. Linda pense qu'à son époque la vie était + **plus** agréable.
b. Ton sac est - **moins** vintage que le mien.
c. Malheureusement pour ma sœur, mon neveu dort ++ **mieux** le jour que la nuit.
d. Annie se rappelle que le chocolat de sa grand-mère était ++ **meilleur** que celui de ce restaurant.

Activité 6 – page 45
a. La voiture Touingo est plus **neuve** que la voiture Space qui a plus de 8 ans.
b. La voiture Space est moins **chère** mais elle est plus **grande** que la voiture Touingo.

c. La voiture Space ne respecte pas l'environnement, elle est la moins **écologique**.
d. La voiture Touingo est moderne, elle est donc la plus **confortable**.

Activité 7 – page 46
a. Ils sont **aussi souriants**.
b. Ils sont **aussi intelligents**
+
c. Jules était **plus gros que** Marcel
d. Marcel était **plus fragile** que Jules
++
e. Jules est **le plus fort et le plus sportif**.
f. Marcel était **meilleur à l'école**.

Activité 8 – page 46
a. J'**avais acheté** un vélo rétro à la brocante.
b. Nous **n'avions pas connu** l'histoire de notre grand-père jusqu'à aujourd'hui.
c. Il **avait oublié** ce souvenir.
d. Je me souviens que tu **étais arrivé** en retard.
e. Vous **étiez partis** en vacances avec votre belle-famille.
f. Ils **avaient grandi** si vite que nous ne les reconnaissions plus.

Activité 9 – page 46
a. Quand leur père **est arrivé** pour leur lire une histoire, ils **s'étaient endormis**.
b. Je **suis arrivé** trop tard, le train **était parti**.
c. Quand ils **sont arrivés** dans la salle de cinéma, le film **avait commencé**.
d. Quand **il a compris** ce qui s'était passé, les voleurs **avaient pris** la fuite.
e. Elle **s'est retournée** : ses cousines **avaient fini** tous les gâteaux.

Activité 10 – page 46

au passé composé	à l'imparfait	au plus-que-parfait
suis partie	était	avais prévu
suis arrivée	partait	avait fait
suis rappelée		avait décollé
est arrivée		

Activité 11 – page 47
a. Gilles est le **mari** de Gaëlle.
B. Émilie est la **cousine** de Gwendoline.
c. Gaëlle est la **tante** de Gwendoline.
d. Benoit est l'**oncle** de Julien, Pierre et Émilie.
e. Gilles est le **beau-frère** de Béatrice.
f. Julien est le **fils** de Gaëlle.

Activité 12 – page 47

Lucas   le père   la grand-mère   le copain

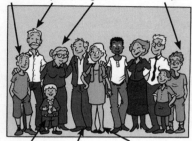

le frère   le grand-père   la sœur

Activité 13 – page 48

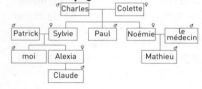

Activité 14 – page 48
a. En bord de Loire, j'aime emmener mes amis manger dans les **guinguettes**.
b. Il a trouvé un téléphone **rétro** dans une **brocante**.
c. Mon père écoute toujours de la musique sur des **disques vinyles**.
d. **Autrefois**, beaucoup de touristes anglais séjournaient à Nice.
e. Tous les dimanches, elles vont vendre de vieux vêtements au **marché aux puces**.

Activité 15 – page 48
1d – 2c – 3a – 4b

Activité 16 – page 49
a. Au début du xxe siècle.
b. La vie était plus agréable.
c. Parce que tout semble nouveau.
d. La littérature et la peinture.
e. À la construction de la Tour Eiffel.

Activité 17 – page 49

a. Les **fraises** que tu as mangées viennent du jardin de ma grand-mère.
b. C'est **le téléphone** que tu as acheté ?
c. Il **nous** a informés de sa décision.
d. La lettre ? Sophie l'a envoyée hier matin.
e. J'espère qu'elle **vous** a bien accueillis.

Activité 18 – page 49

a. Mes sœurs sont **allées** plusieurs fois dans cette guinguette.
b. Ils ont **adoré** la cérémonie.
c. Vous êtes **revenus** d'Italie ?
d. Cette recette, c'est ma grand-mère qui me l'a **donnée**.
e. Ces exercices, nous ne les avons pas **faits**.
f. Elle a **coupé** les fleurs pour les mettre dans un vase.

Activité 19 – page 49

Leila a **commencé** par ranger les documents qu'elle avait **laissés** le matin sur son bureau. Puis elle est **partie** prendre son train. Le train qu'elle devait prendre, a été **annulé**. Elle a **appelé** sa collègue, et heureusement, elle l'a **raccompagnée** en voiture jusque chez elle.

Activité 20 – page 50

a. Lesquels est-ce que tu préfères ?
b. Richard a choisi celui-là.
c. Laquelle est-ce qu'il a achetée ?
d. Ce sont ceux-là que je veux.
e. Avec lesquelles est-ce qu'elle est partie ?
f. Elle est partie avec celles-ci.

Activité 21 – page 50

a. Vous pouvez me passer la cuillère s'il vous plaît ? Oui, **laquelle ?**
b. Est-ce que tu pourrais me prêter un de tes livres ? Oui, **lequel ?**
c. Marc, tu peux me prêter tes outils ? Oui, **lesquels ?**
d. Maman ! Tu peux me prêter tes bottes ? Oui, **lesquelles ?**

Activité 22 – page 50

« Les chapeaux de cette boutique seront parfaits pour la soirée rétro de Noémie ! **Lequel** veux-tu essayer ?
– **Celui-ci**, je pense, Il est très élégant non ? Et toi ?
– Moi, je porterai bien **celui-là**.
– Et regarde ces chaussures ! **Lesquelles** est-ce que je dois porter à ton avis ?
– Aucune idée, **celles-ci** ont l'air confortables, mais **celles-là** sont plus originales.
– Ce sera encore mieux avec une cravate ! **Laquelle** est la plus discrète ?
– **Celle-là**, mais elle est abîmée, mais **celle-ci** est trop grande. »

Activité 23 – page 51

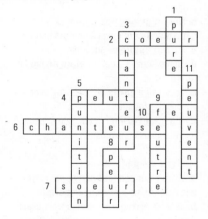

Activité 24 – page 51

Départ			
café			
thé			
nez	premier	manger	été
pied	dessin		dernier
			Arrivée

Activité 25 – page 51
Proposition de corrigé :

Bonjour, vous êtes bien M. Marne ? Je vous appelle à propos de votre annonce. Le juke-box est-il toujours en vente ? J'ai quelques questions sur cet objet. Est-ce qu'il vous appartenait ? Il est toujours en bon état ? Quels sont les disques qui sont à l'intérieur ? Vous pouvez me rappeler aux 0656****** Merci, à bientôt !

Activité 26 – page 51
Proposition de corrigé :

Mon plus bel anniversaire, c'était pour mes 17 ans. Mon meilleur ami avait invité mes copains du lycée et mon cousin. Je ne m'y attendais pas, c'était une belle surprise ! Nous avons beaucoup ri et j'ai reçu des cadeaux vraiment cool.

Bilan 1 – page 52
b – c – d

Bilan 2 – page 52

a. Je les appelle papa et maman, ce sont **mes parents**.
b. J'habite à côté de sa maison, c'est **mon voisin**.
c. C'est la fille de la sœur de ma mère, c'est **ma cousine**.
d. Je suis mariée avec lui, c'est **mon époux** / **mon mari**.
e. C'est le frère de mon père, c'est **mon oncle**.

Bilan 3 – page 52

a. Je me suis acheté un blouson vintage au **marché aux puces**.
b. Moi, je suis collectionneur d'objets rares et je préfère la **brocante**, j'y trouve beaucoup de choses. Ma période préférée c'est la **Belle Époque**.
c. Dans mon **grenier**, il y a un tas de vieilles choses, des vêtements **vintage**, des photos, de vieux disques.

Bilan 4 – page 52

a. Les résultats de la classe en mathématique sont mauvais, les résultats de Paul sont **les pires**.
b. Il a fait **moins** chaud à Marseille qu'à Grenoble aujourd'hui.
c. Ma maison est **plus** petite que son appartement.
d. Ton bouquet de fleurs est **aussi** joli que celui de ta cousine.

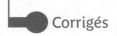

Bilan 5 – page 53
Jacques **est sorti** de chez lui à 8 heures.
Il **était** pressé car il **avait** rendez-vous
avec son patron qui lui **avait proposé**
un meilleur poste dans son travail. Il **ne
devait pas** rater ce rendez-vous car il
avait travaillé très dur.

Bilan 6 – page 53
a. Les lettres qu'elle a **écrites** sont
magnifiques.
b. Sa femme ? Il l'a **rencontrée** à Paris.
c. C'est la voiture que j'ai **achetée**.
d. Son cadeau ? Paul l'a **regardé**
bizarrement.
e. Le professeur a **emmené** ses élèves au
musée d'art contemporain.

Bilan 7 – page 53
a. Il veut **lesquels** ? Il veut ceux-là.
b. Vous achetez **lesquelles** ? Nous
achetons celles-ci.
c. Tu prends lequel ? Je prends **celui-ci/
celui-là**.
d. Elle a mangé dans laquelle ? Elle a
mangé dans **celle-là/celle-ci**
e. Vous avez écouté lesquels ? Nous avons
écouté **ceux-là/ceux-ci**.

Bilan 8 – page 53
a. Il peut avoir peur.
b. Ils peuvent avoir peur.
c. Il veut être danseur.
d. Elles veulent être danseuses.
e. Il est heureux.

Bilan 9 – page 53
a. Tu veux une bière ?
b. Non, je veux un café.
c. Il a fini premier.
d. Elle a fini première.

Unité 5 Explorer l'inconnu

Activité 1 – page 54
a. la frontière – b. le billet – c. s'envoler –
d. s'expatrier

Activité 2 – page 54
a. Qu'est-ce que David a acheté sur
Internet ? **Les billets d'avion**.

b. Que s'est-il passé pour David le
27 août ? **Le grand départ**.
c. Qu'est-ce qui a été le plus difficile pour
David et sa famille ? **Faire les valises**.
d. Qu'est ce que David avait oublié ?
Son passeport.
e. De quoi ont toujours rêvé David et sa
femme ? **S'expatrier**.

Activité 3 – page 54
1b – 2d – 3a – 4e – 5c

Activité 4 – page 54
a. 1re personne du singulier : **j'accueille**
b. 2e personne du singulier : **tu accueilles**
c. 3e personne du singulier : **il accueille**
d. 1re personne du pluriel :
nous accueillons
e. 2e personne du pluriel :
vous accueillez
f. 3e personne du pluriel : **ils accueillent**

Activité 5 – page 55

	Lieu	Temps
a.	☐	☒
b.	☐	☒
c.	☒	☐
d.	☒	☐
e.	☐	☒

Activité 6 – page 55
a. Le club de sport où Stéphanie et Marion
sont inscrites, propose des cours de Zumba./
Le club de sport où sont inscrites Stéphanie
et Marion, propose des cours de Zumba.
b. La jeune fille très sympa dont tu m'as
parlé est d'origine indonésienne.
c. Le quartier où Delphine a grandi se
trouve près du centre-ville. / Le quartier
où a grandi Delphine se trouve près du
centre-ville.
d. François va offrir à Anne le voyage dont
elle rêve.
e. Nous avons perdu des billets de train
dont le remboursement est impossible.

Activité 7 – page 55
a. Le restaurant **dont je t'ai parlé**, n'est
pas cher.
b. L'endroit **où il connaît tout le monde**,
est sympa.

c. La ville **où je rêve d'habiter**, est située
près de la mer.
d. Le pays **dont tu rêves**, est difficile à
trouver.

Activité 8 – page 56
a. **Remplir** un formulaire
b. **Signer** un contrat
c. **S'inscrire** à une newsletter
d. **Rechercher** un logement
e. **Embaucher** un employé
f. **Négocier** un devis

Activité 9 – page 56
Ah les **démarches** administratives !
Remplir plusieurs fois le même **formulaire**
peut rendre fou ! Et toutes ces conditions à
consulter avant de signer un **contrat**. C'est
compliqué !
66 % des Français pensent que les services
administratifs font exprès de perdre les
documents pour gagner du temps !
Un cliché qui dure…
Ainsi, après la **signature** d'une pétition
par plus 22 000 personnes pour se
plaindre de cette situation, l'État français
a décidé de réagir en écrivant une **lettre**
d'information pour expliquer les raisons
de cette lenteur.

Activité 10 – page 56
c – d – f – h

Activité 11 – page 56

	Le temps	La manière
a.	☒	☐
b.	☐	☒
c.	☒	☐
d.	☒	☐
e.	☐	☒
f.	☒	☐

Activité 12 – page 57
1e – 2f – 3d – 4b – 5a – 6c

Activité 13 – page 57

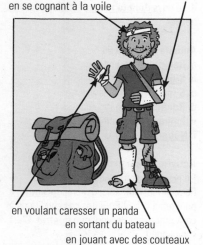

en tombant de vélo

en se cognant à la voile

en voulant caresser un panda

en sortant du bateau

en jouant avec des couteaux

Activité 14 – page 58
a. En cuisine ? **Ils ont la réputation** d'aimer la bonne cuisine, mais aussi de manger des grenouilles.
b. Le travail ? **On dit que** les Français sont toujours en grève ou en vacances.
c. En amour ? **Ils ont l'air** romantiques.
d. Physiquement ? D'après les étrangers, **ils semblent** être très élégants car Paris est la capitale de la mode.

Activité 15 – page 58
a. Stéréotype n°4 – **b.** Stéréotype n°1 –
c. Stéréotype n° 3 – **d.** Stéréotype n°2

Activité 16 – page 58
Lyon : Les lyonnais sont nuls au football.
Grenoble : Grenoble est une ville du nord.
Lille : C'est le pôle nord.
Marseille : C'est la plus grande, la plus belle et la plus importante ville de France.

Activité 17 – page 58
a. Les examens de fin d'année ? On **y** pense toute l'année !
b. J'**en** prendrais bien encore un peu mais je n'ai plus de place.
c. J'ai vu trois films au cinéma cette semaine. Et vous, vous **en** avez vu combien ?

d. Au Japon ? En tant que journaliste sportive, j'**y** vais tous les ans.
e. Adrien et Laura vont déménager. Ils s'**y** attendent depuis le début de l'année.
f. Nous voulons faire un grand voyage avec les enfants. Nous **en** avons envie depuis longtemps.

Activité 18 – page 58
a. Elle y va le dimanche.
b. Mustafa en a visité en 2013.
c. Jacqueline et Nadine en boivent.
d. J'y pars dans 3 semaines.
e. Pawarisa en revient.
f. Oscar y pense souvent.

Activité 19 – page 59
Proposition de corrigé :
a. Manuela et Olivier se préparent à escalader le Mont-Blanc depuis 2 ans.
b. Vous aurez besoin de ces valises pour votre voyage.
c. Loïc s'est rappelé au dernier moment de payer ses factures.
d. C'était compliqué au début mais je me suis habitué à avoir des jumeaux.
e. Avec mon mari, nous pensions depuis un moment à nous installer près de la mer.

Activité 20 – page 59
a. Il faut que nous (**sachions**/sachons) quand est la mousson aux Philippines.
b. Ma femme aimerait que j'(ai/**aie**) un poste dans une ville au bord de l'océan Pacifique.
c. Je voudrais absolument que tu (apprends/**apprennes**) les formules de politesse avant d'aller dans un pays étranger.
d. Il faudrait que vous (changez/**changiez**) les roues du camping-car.
e. Nous aimerions que nos parents (choisissaient/**choisissent**) de passer les prochaines vacances en Afrique.
f. Il faut que je (**fasse**/fais) toutes mes démarches administratives avant la fin du mois.

Activité 21 – page 60
a. Il faut que tu termines toutes tes démarches administratives très rapidement.
b. Il faut que nous commencions à faire nos valises.
c. Il ne faut pas que vous soyez stressés dans l'avion.
d. Il faut que j'aille visiter tous les monuments de Rome !
e. Il faut que Sylvana parte en Colombie pour son travail.
f. Il ne faut pas que les enfants sourient sur leur photo d'identité.

Activité 22 – page 60
b – d – e – a – f – c

Activité 23 – page 61

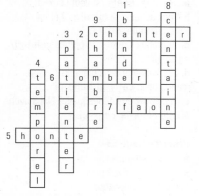

Activité 24 – page 61

départ				
ailleurs	payer			
	parier			
	assiette	pareil	travail	bille
				œil
				aïeux
				arrivée

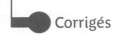 Corrigés

Activité 25 – page 61
Proposition de corrigé :
Je vous souhaite tout d'abord la bienvenue. J'espère que vous êtes bien installés et que vous êtes heureux d'être arrivés. Dans un premier temps, vous devez connaître les principales différences avec la France :
• On dîne très tôt ici : entre 16 h 30 et 17 h 30 mais rassurez-vous, vous allez vite vous habituez parce qu'on se lève tôt aussi et donc on est fatigué dès 20 heures !
• Très peu de gens parlent français donc, ça va être un peu difficile au début pour communiquer mais vous pouvez demander aux gens de parler moins vite ou de répéter : il ne faut pas que vous hésitiez !
• Contrairement à la France, on mange un petit peu toute la journée, on n'a pas vraiment de gros repas. Tout le monde mange du Geitost, c'est un fromage sucré. Il faudra vous y habituez et puis, les aliments français, les fruits et les légumes en général sont très chers…
• Ah oui, n'oubliez pas de vous inscrire aux cours de Norvégien, ils sont gratuits pour les étrangers qui viennent s'installer dans le pays !
Je ne m'inquiète pas pour vous mais si vous avez besoin d'aide, vous savez où me trouver !

Activité 26 – page 61
Proposition de corrigé :
Généralités
1. Vous êtes : un homme   une femme (Entourez)
2. Âge :   ☐ - de 25 ans
          ☐ entre 26 et 45 ans
          ☐ entre 45 et 55 ans
          ☐ 56 ans et +
3. @ (facultatif) : _____
4. Dans quelle ville habitez-vous ? :
_____
5. Ville de départ : _____
6. Dates de votre voyage :
du _____/_____/_____
au _____/_____/_____
7. Nombre de personnes voyageant avec vous :
☐ 0   ☐ 1 à 4   ☐ 5 à 10   ☐ + de 10

Qualité de l'accueil et du personnel
Cochez les cases

Qu'avez vous pensez de …. ?	Excellent	Bon	Moyen	Mauvais
Le guide touristique				
Le service (restaurant, hôtel, transport)				

Commentaires :
_____
_____

Qualité des prestations
Cochez les cases

Qu'avez vous pensez de …. ?	Excellent	Bon	Moyen	Mauvais
La propreté des hôtels				
La qualité de la nourriture				
Les activités de loisirs				
Le confort du voyage				

Bilan 1 – page 62
1c – 2d – 3b – 4a

Bilan 2 – page 62
a. Avec Tom, nous avons décidé de faire le tour du monde en 6 mois. Nous avons fait beaucoup de recherches et de **démarches administratives**.
b. Nous avons dû **vérifier la validité** de nos passeports et déposer nos demandes de **visa**.
c. Ensuite, nous avons effectué des recherches parce que **se renseigner** sur les différents pays et voir ce qui est recommandé est très important !
d. Nous avons aussi acheté de nombreux **guides** pour trouver de bonnes adresses et des conseils.
e. Nous sommes prêts à partir dans un mois ; nous sommes très excités même s'il reste quelques **formulaires** à remplir.

Bilan 3 – page 62
Les Américains ont **une image** des Français allant **du stéréotype** du petit homme un peu rond portant béret et baguette, **au cliché** de la femme grande, mince et élégante qui s'habille avec des marques très chères et très chics. Les Français ont également **la réputation** de manger des escargots et beaucoup de fromage même si en général, les étrangers trouvent la nourriture française très variée et très bonne.
En fait, les Français **semblent** être perçus à la fois comme des gens très élégants et romantiques mais aussi un peu désagréables car ils sont réputés très râleurs !

Bilan 4 – page 62
a. Le quartier **où** j'habitais dans mon enfance, a été détruit.
b. Le camping **où** nous avons passé le mois d'août ouvre en avril.
c. Le voyage **dont** nous avons entendu parler a été annulé.
d. Séverine s'est acheté tous les souvenirs **dont** elle avait envie.
e. Nous étions en Islande l'année **où** le volcan s'est réveillé.

Bilan 5 – page 63
a. **En quittant** la Patagonie, j'étais triste. (quitter)
b. J'ai regardé ces magnifiques paysages **en me souvenant** de mon voyage. (se souvenir)
c. Mon moment préféré reste le jour où nous sommes arrivés au lac Argentino **en faisant** une course de chevaux. (faire)
d. J'ai gardé toutes nos aventures **en prenant** des dizaines de photos. (prendre)
e. Maintenant je reprends l'avion **en ayant** plein d'incroyables souvenirs. (avoir)

Bilan 6 – page 63
a. Ils n'y sont pas allés.
b. J'en prendrais encore un peu.
c. Nous y habitons depuis cinq ans.
d. Est-ce que tu en es content ?
e. Je n'en fais plus depuis longtemps.

Bilan 7 – page 63
a. Demain, il faut … avant 6 h 30.
☐ tu te lèves
☒ que tu te lèves
☐ lever

b. Dans l'aéroport, on ne doit pas …
☒ fumer
☐ qu'on fume
☐ ne pas fumer

c. Il faut … le formulaire au guichet C.
☐ rende
☒ rendre
☐ que je rende

d. Pendant ton voyage, il faut … un journal de bord pour l'école.
☐ tu écrives
☐ que tu as écrit
☒ que tu écrives

e. Pour vous intégrer, vous devez … vos habitudes.
☐ que vous changiez
☒ changer
☐ vous changez

Bilan 8 – page 63

Il s'est trompé en payant l'addition. En s'en apercevant, il est revenu au restaurant régler la différence au patron.

Bilan 9 – page 63

Tu as dîné au restaurant ?
Oui, j'ai mangé des radis un dos de cabillaud sur lit de fenouil. Ensuite, on a commandé une assiette de fromage. Et je me suis laissé tenter par un tiramisu. L'addition était salée…

Unité 6 Goûter l'insolite

Activité 1 – page 64

Aujourd'hui, j'ai vu **une affiche** dans le métro pour le festival *Rock à Paris*. Ce **festival** a lieu chaque année à Paris pendant trois jours et **la programmation** est toujours excellente et variée. J'ai vu que le groupe Franz Ferdinand passe en **concert** le vendredi 23 août à 21 heures. Cet **horaire** me convient bien car, heureusement, je ne travaille que jusqu'à 19 heures. Je vais aller à la **billetterie** demain pour acheter **un billet**.

Activité 2 – page 64

h – b – f – c – g – d – a - e

Activité 3 – page 64

a. Mardi 2 octobre à 20 heures, Paul va au concert du groupe Artic Monkeys au Zenith de Paris.
b. Mercredi 3 octobre à 20 heures, Paul dîne avec Mélanie chez *Kyoto Express* à Paris.
c. Jeudi 4 octobre, Paul va aux musées du Luxembourg de Paris voir l'exposition Chagall.
d. Vendredi 5 octobre à 21 heures, Paul participe à un atelier de cuisine italienne pour apprendre à faire le risotto.

Activité 4 – page 65

a. Lola **craint** d'arriver en retard au théâtre.
b. Je **crains** de devoir manger des insectes un jour.
c. Nous **craignons** qu'il soit trop tard pour réserver des places.
d. Que **craignez**-vous ? Il ne va pas pleuvoir ce soir.
e. Tu **crains** vraiment que le gâteau au chocolat ne soit pas assez sucré ?
f. Lucas et Ambroise **craignent** les araignées.

Activité 5 – page 65

a. Tu as (**de beaux yeux**/des yeux beaux).
b. Comme il a (des oreilles grandes/**de grandes oreilles**) !
c. Hier soir j'ai vu (**un très bon concert**/ un concert très bon).
d. Ce garçon a (un assez élégant visage/**un visage assez élégant**).
e. Mon père a eu (**un léger problème**/ un problème léger) avec sa voiture, elle ne démarre plus.
f. Ce scientifique est (**un grand homme**/ un homme grand), je l'admire.

Activité 6 – page 65

a. Ce restaurant a un menu simple mais varié.
b. Il propose des plats assez savoureux.
c. Le chef choisit toujours des produits frais.
d. Martin aime dîner dans des grands restaurants célèbres.
e. Ce sont des livres très intéressants.
f. Le chef cuisine des recettes anciennes.

Activité 7 – page 66

a. C'est un ancien artiste.
☐ C'est un artiste âgé.
☒ C'est un artiste qui n'est plus.
☐ C'est un artiste que je connais depuis longtemps.
b. Ce scientifique a fait beaucoup de découvertes, c'est un grand homme.
☒ C'est un scientifique célèbre.
☐ C'est un scientifique de grande taille.
☐ C'est un scientifique que j'aime bien.
c. Cette valise légère ? Je la porte très facilement.
☐ Je n'ai aucun problème pour porter cette valise.
☐ Cette valise est petite, c'est facile de la porter.
☒ Cette valise n'est pas lourde, c'est facile de la porter.
d. Je n'apprécie pas Monica, elle est fausse.
☐ Je n'apprécie pas Monica, car elle n'est pas correcte.
☒ Je n'apprécie pas Monica, car elle est hypocrite.
☐ Je n'apprécie pas Monica, car elle est en plastique.

Activité 8 – page 66

a. Ils ne boivent que des jus de fruits.
b. Nous n'avons vu qu'une exposition de sculpture cette année.
c. Il n'a vu que deux films le mois dernier.
d. Elle n'a été qu'à un concert dans sa vie.
e. Je ne sais faire que les pâtes à la carbonara.
f. Le restaurant *Bordeaux Parme* n'ouvre que le samedi soir.

Activité 9 – page 66

a. Non, je ne mets que du miel.
b. Non, le film ne dure qu'une heure trente.
c. Non, je ne vis à Rome que l'été.
d. Non, je ne pars en vacances qu'en février.
e. Non, ma fille n'est qu'en première année.
f. Non, Adrien ne parle que le français.

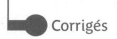

Corrigés

Activité 10 – page 67
a. L'appartement ne possède que 2 pièces.
b. L'appartement ne se trouve qu'au premier étage.
c. L'appartement ne fait que 45 m².
d. La location ne coûte que 400 €.
e. L'appartement n'est libre qu'à partir de septembre.

Activité 11 – page 67
farine – haricots verts – fromage – oranges – **chocolat** – **œufs** – **sel** – yaourt – poisson – **levure** – poivre – pomme – pâtes – **beurre** – **lait** – laitue – tomate – petits pois – steak – olives – carottes – **sucre** – caramel – riz – crevettes

Activité 12 – page 67
a. Roxane – **b.** Sirrine – **c.** Laurent – **d.** Alex – **e.** Yvonne – **f.** Arthur

Activité 13 – page 68
1c – 2d – 3a – 4b

Activité 14 – page 68
a. fourmi – **b.** ver – **c.** sauterelle – **d.** abeille – **e.** papillon – **f.** coccinelle

Activité 15 – page 68

p	c	f	o	u	r	m	i
a	r	a	l	g	n	é	e
p	i	b	n	r	a	t	r
i	q	e	d	i	b	é	o
l	u	i	o	l	o	a	s
l	e	l	u	l	u	t	e
o	t	l	i	o	j	l	t
n	u	e	y	n	r	m	t

Activité 16 – page 69
a. la fourmi – **b.** la sauterelle – **c.** le ver – **d.** la coccinelle – **e.** l'araignée – **f.** l'abeille

Activité 17 – page 69
a – d – g – h

Activité 18 – page 69
a. Je doute qu'on se mette à manger des insectes.
b. Il regrette que les restaurants parisiens soient de plus en plus chers.
c. Elle est triste que vous ne veniez pas au spectacle.
d. Je suis désolée que tu ne puisses pas venir au concert.
e. Il est furieux qu'ils sortent sans lui.

Activité 19 – page 69
Proposition de corrigé :
a. Il doute que ce film **lui plaise**.
b. Il est furieux que ces amis **ne lui demandent jamais son avis**.
c. Il est surpris que ces amis **choisissent un cinéma à Paris**.
d. Il préfère que ces amis **l'invitent au restaurant**.
e. Il est heureux que ces amis **et lui se voient**.

Activité 20 – page 70
a. Demain, je vais aller au restaurant avec mon frère.
b. Bientôt, j'organiserai une soirée crêpes.
c. Un jour, elle aura le courage de parler devant un public.
d. La semaine prochaine, nous allons participer à un atelier de cuisine.
e. Quand tu auras le temps, est-ce que tu pourras réparer cette montre ?
f. Cette semaine, je vais aller chez le coiffeur.

Activité 21 – page 70
Lundi : **déjeuner et concert**
Mardi : **cours d'espagnol**
Mercredi : **piscine et cinéma**
Vendredi : **restaurant**

Activité 22 – page 70
a. La famille de Sylvie partira au Népal cet été.
b. En 2050, la population mondiale sera de 10 milliards d'humains.
c. En 2030, le nombre d'hommes sera supérieur au nombre de femmes.
d. La température de la terre augmentera de 0,5 degré.
e. En 2027, les élections présidentielles auront lieu en France.

Activité 23 – page 71
a. C'est‿une jolie enfant.
Ce sont de jolis‿enfants.
b. C'est‿une vraie amitié.
Ce sont de vraies‿amitiés.
c. C'est‿un chat intelligent.
Ce sont des chats intelligents.
d. C'est‿un‿opéra étonnant.
Ce sont des‿opéras étonnants.

Activité 24 – page 71

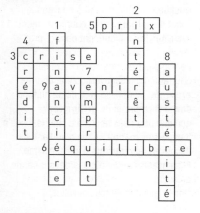

Activité 25 – page 71
Proposition de corrigé :
C'est super ! Je suis vraiment contente que tu viennes !
Tu vas voir je vais organiser des vacances super sympa : restaurants, cinéma, exposition, peut-être même un concert.
Et bien sûr, je te ferai visiter la ville.
Ça va être génial !

Activité 26 – page 71
Proposition de corrigé :
Beurk ! Mon dieu, les insectes pour repas, ça a vraiment l'air dégoûtant ! Il y a tellement de bonnes choses à manger, c'est dommage de ne pas en profiter… Chacun ses goûts, mais j'espère vraiment que nous ne serons jamais obligés de manger des insectes.

Bilan 1 – page 72

a. J'ai eu envie de voir ce film quand j'ai vu cette **affiche**

b. Hier, je suis allé voir une **exposition** très intéressante sur la photographie.

c. Monique a participé à un **atelier** cuisine avec Sarah.

d. Le **programme** de ce festival est vraiment très intéressant.

e. Pierre est allé acheter ses places de concert à la **billetterie**.

Bilan 2 – page 72

1c – 2d – 3a – 4b

Bilan 3 – page 72

Chère Madeleine,

Quel bonheur d'entendre à nouveau le chant des **cigales** et le bourdonnement des **abeilles** qui butinent dans le pré devant la maison.

Je n'ai pas très bien dormi cette nuit pourtant : j'ai découvert qu'une énorme **araignée** avait tissé sa toile au plafond de ma chambre et un **grillon** caché quelque part dans la pièce a chanté jusqu'à 3 heures du matin ! En me réveillant, j'ai découvert des **fourmis** dans la cuisine. Elles avançaient en file chargées de grain de sucre !

Donne-moi vite de tes nouvelles,

Sophie

Bilan 4 – page 72

a. Mes parents ont une grande maison au bord de la mer.

b. Joane a un appartement assez petit.

c. Nous avons réservé une magnifique chambre.

d. Lucien a préparé un très bon repas.

e. Damien est allé voir un excellent spectacle.

f. Martine m'a amené voir un très mauvais film.

Bilan 5 – page 73

a. Elle regrette que tu sois malade.

b. Nous craignons qu'elle ait un problème.

c. Elle préfère que j'aille travailler.

d. Je suis heureuse que vous fassiez des progrès.

e. Nous sommes désolés que tu viennes seulement demain.

Bilan 6 – page 73

c – d – e – g

Bilan 7 – page 73

a. Pourtant je n'ai que 10 minutes de retard.

b. Frida a faim parce qu'elle n'a mangé qu'une pomme à midi.

c. Je n'ai qu'une demi-heure avant mon atelier céramique.

d. Clothilde a découvert un restaurant où le chef ne prépare que des insectes.

e. Sarah ne veut pas sortir ce soir parce qu'elle n'a que 10 euros à dépenser ce week-end.

f. Il n'y a que des groupes de reggae !

Bilan 8 – page 73

a. Quels beaux‿enfants !

b. Quels prix attractifs !

c. Quelles grandes‿œuvres !

d. Quels‿objets amusants !

Bilan 9 – page 73

a. Il va parler à Pierre.

b. Il mangera avec Carine.

c. Ça va plaire à Bernard.

d. On va dîner au restaurant ce soir.

e. Il est arrivé en retard.

Module 3 | Changer le monde

Unité 7 Consommer autrement

Activité 1 – page 74

Activité 2 – page 74

L'expression contraire de « crise économique » est : CROISSANCE ÉCONOMIQUE

	Vrai	Faux
Il existe des billets de 5 euros.	X	
Quand on achète quelque chose, on peut payer par chéquier.		X
« Payer en liquide » signifie payer avec des pièces et des billets.	X	
On peut retirer de l'argent avec une carte bancaire.	X	
On met les pièces et les billets dans un porte-manteau.		X

Activité 3 – page 74

1b – 2e – 3d – 4a – 5c

Activité 4 – page 75

a. Vous êtes producteurs de fruits et légumes. Vous **produisez** des fruits et des légumes.

b. Peugeot, Citroën et Renault sont des constructeurs automobiles. Ces entreprises **construisent** des voitures.

c. Je suis conducteur de bus. Je **conduis** des bus.

d. La crise économique est destructrice d'emplois. Elle **détruit** beaucoup d'emplois.

e. Nous sommes traductrices. Nous **traduisons** des textes anglais en français.

Activité 5 – page 75

	Expression de la cause	Expression de la conséquence
a.		X
b.	X	
c.		X
d.		X
e.	X	

Activité 6 – page 75

a. Les gens font attention à leurs dépenses **à cause** de la crise.

b. Ils préfèrent acheter leurs fruits et leurs légumes au marché **parce que** c'est moins cher.

c. Ils souhaitent moins utiliser leur voiture,

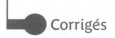
alors ils font du covoiturage.

d. Ils peuvent facilement échanger ou louer des objets **grâce à** certains sites Internet.

Activité 7 – page 76
1b – 2a – 3d – 4e – 5c – 6f

Activité 8 – page 76
a. Moi, j'essaie d'avoir une consommation responsable. J'achète **beaucoup** d'objets d'occasion : presque tous mes livres, des vêtements, des jouets pour les enfants…
b. Je fais pousser **quelques** légumes dans mon jardin. J'ai des radis et deux pieds de tomates.
c. Je n'achète **aucun** objet inutile.
d. **Chaque** année, avec des voisins, nous organisons un vide-greniers. Nous vendons les vêtements qui sont trop petits pour nos enfants et les jouets qu'ils n'utilisent plus.
e. Par contre, j'ai **peu de** temps, alors je fais souvent mes courses au supermarché. Je vais rarement au marché.

Activité 9 – page 76
a. **Peu de**/**Quelques** personnes interrogées ont déjà loué leurs biens à d'autres particuliers
b. **Plusieurs** personnes interrogées ont déjà participé à des achats en commun
c. **Beaucoup de** personnes interrogées ont déjà vendu leurs biens à d'autres particuliers

Activité 10 – page 76
a. Quelques / Certains / Peu d'étudiants n'ont jamais acheté de bien d'occasion.
b. Beaucoup d'étudiants ont déjà acheté des livres d'occasion.
c. Plusieurs étudiants ont déjà acheté des vêtements d'occasion.
d. Quelques / Certains / Peu d'étudiants ont déjà acheté des meubles ou des chaussures d'occasion.
e. Aucun étudiant n'a acheté de téléphone d'occasion.

Activité 11 – page 77
a. la moitié – **b.** le quart – **c.** les trois-quarts – **4.** le tiers

Activité 12 – page 77
Tout d'abord, si on additionne les **pourcentages**, on constate que **plus de la moitié** des Français utilisent différents moyens de transport.
On voit qu'en 2013, **les trois-quarts** des Français utilisent la voiture pour leurs déplacements et **plus du tiers** des Français se déplacent à pied. D'autre part, **presque un tiers** des personnes utilisent les transports en commun (15 % pour le métro et 15 % pour le bus). Les Français qui se déplacent à vélo représentent 12 % des personnes interrogées. Enfin, seulement 7 % des Français prennent le train tous les jours.

Activité 13 – page 78

	vrai	faux
a.	X	
b.		X
c.	X	
d.	X	
e.	X	
f.		X

Activité 14 – page 78

le verbe	le nom (l'action)	le nom (la personne)
consommer	la consommation	un consommateur
contribuer	la **contribution**	un contributeur
participer	la participation	un **participant**
créer	la **création**	un **créateur**

Activité 15 – page 78
a. J'ai envie de faire un voyage dans le sud de la France, mais je n'ai pas assez d'argent, je dois (faire – retirer – **économiser**) de l'argent.
b. Pour les cadeaux de Noël, les Français (dépensent – prêtent – **empruntent**) en moyenne 500 euros.
c. Avec la crise, les Français ont changé leur façon de (**consommer** – prêter – participer).
d. Quand ils font leurs courses, les Français (dépensent – achètent – **paient**) généralement par carte bancaire.
e. J'ai (**participé** – acheté – consommé) à un concours organisé par une marque de

vêtements et j'ai gagné 1 000 euros !
f. Certaines grandes marques demandent aux consommateurs de (faire – **contribuer** – acquérir) à la création d'un produit.

Activité 16 – page 79
a.

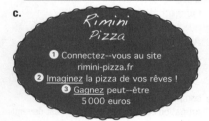

> **DANIA – LAIT**
> Votre **marque** préférée
> **votez** pour votre nouveau
> parfum de yaourt !

b.

> Avec Ren-Info,
> devenez un **consommateur** actif !
> **participez**
> à la création du nouveau logo
> Renseignez-vous sur www.renano.fr

c.

> *Rimini Pizza*
> ❶ Connectez--vous au site rimini-pizza.fr
> ❷ **Imaginez** la pizza de vos rêves !
> ❸ **Gagnez** peut--être 5 000 euros

d.

> Bientôt un nouveau restaurant
> près de chez vous ?
> Aidez-nous, **financez** notre projet.
> Pour une **contribution** de 10 euros,
> vous serez invité à un cours de cuisine.
> Pour une participation de 20 euros,
> vous gagnerez un repas pour deux personnes.

Activité 17 – page 79

	Résultat attendu	Généralité	Ordre	Conseil
a.		X		
b.	X			
c.			X	
d.				X
e.		X		
f.	X			

Activité 18 – page 79
1c – 2b – 3a – 4e – 5d

Activité 19 – page 80
Proposition de corrigé :
a. S'ils font des achats en commun, ils paieront moins cher.
b. Si les vêtements de vos enfants sont trop petits, vous pourrez les vendre lors d'un vide-greniers.

c. S'il fait du covoiturage, il rencontrera plein de gens sympas.
d. Si tu achètes des légumes de saison, ils seront meilleurs.

Activité 20 – page 80
a. sérieux → sérieu (ment – **sement** – semment)
b. différent → différ (entement – ement – **emment**)
c. sûr → sûr (ment – **ement** – emment)
d. courant → cour (antement – emment – **amment**)
e. éternel → éternel (ment – **lement** – emment)
f. positif → positi (ment – fement – **vement**)

Activité 21 – page 80
– Est-ce que tu as vu Antoine **récemment** ?
– Oui, il a changé de vie. Il a quitté son poste de prof et a commencé une formation en agriculture. Puis, il est devenu producteur de fruits et légumes bio. Au début, c'était difficile. Ses arbres fruitiers étaient **régulièrement** malades, l'été a été très sec. Mais, **heureusement**, ça va mieux maintenant. Son frère s'est associé avec lui et ils travaillent ensemble.
– À deux c'est plus facile **généralement** !
– C'est vrai ! **Actuellement**, il vend ses produits au marché mais il voudrait aussi ouvrir un petit magasin d'alimentation bio.

Activité 22 – page 80
Marc et Sophie ont décidé de changer leur façon de vivre. Maintenant, ils vivent simplement. Ils ont modifié leurs habitudes de consommation, ils vivent **autrement**. Par exemple, ils veulent manger **sainement**, ils limitent leur consommation de viande et choisissent des produits frais et naturels. Ils ont décidé de consommer **intelligemment** : ils préfèrent louer ou acheter des objets d'occasion plutôt que d'acheter des objets neufs. Ils se déplacent **différemment**, ils utilisent très peu leur voiture. Ils ont changé leurs habitudes **rapidement** et ils se sont adaptés à leur nouvelle vie **facilement**.

Activité 23 – page 81
a. Des films intéressants.
b. Des hommes importants.
c. Des pièces originales.
d. Des tarifs abordables.
e. Des arômes épicés.
f. Des saveurs inédites.
g. Des auteurs à succès.
h. Des artistes aimés.
i. Des chanteurs anglophones.

Activité 24 – page 81

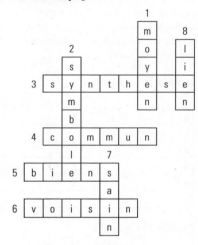

Activité 25 – page 81
Proposition de corrigé :
– Chérie, il faut que je te parle. J'ai décidé de changer de vie !
– Ah oui ? Comment ?
– Et bien, je voudrais tout quitter : mon emploi, la maison, la voiture…
– Et moi tu veux me quitter aussi ?
– Non ! Bien sûr que non ! J'ai envie d'aller vivre à la campagne et de produire du fromage de chèvre.
– Quoi, c'est une blague ? ! Tu sais, c'est hors de question que je quitte mon travail, moi ! Et puis, la maison, on est bien ici !
– Oui, mais j'en ai assez de ce stress… On n'a pas assez de temps pour s'occuper des enfants…
– Ah, non, je ne suis pas d'accord ! Tu crois que si tu deviens éleveur de chèvres, tu auras plus de temps ?
– Oui, je crois…
– Moi ! je ne pense pas ! Je ne veux plus parler de ça ! Je t'ai donné mon avis : je suis contre ! C'est tout !

Activité 26 – page 81
Proposition de corrigé :
Nous affirmons que les transports en commun permettent de limiter l'usage de la voiture. La voiture pose des problèmes de santé à cause de la pollution, de sécurité et de cadre de vie.
Nous sommes convaincus que, si les transports en commun sont moins chers, les gens les préféreront à la voiture. C'est pourquoi nous demandons une baisse significative des prix des tickets de bus, de métro, de tramway et des billets de train.

Bilan 1 – page 82
1d – 2b – 3a – 4e – 5c

Bilan 2 – page 82
1c – 2a – 3b – 4e – 5d

Bilan 3 – page 82
a. participer
b. retirer
c. économiser
d. banque
e. marque

Bilan 4 – page 82
a. David a fini sa formation d'électricien, alors il cherche un emploi.
b. Il ne trouve pas de travail à cause de la crise économique.
c. Il veut partir en Norvège parce que ce pays est moins touché par la crise.
d. Il ne parle pas norvégien, donc il apprend cette langue.
e. La Norvège manque de main-d'œuvre, c'est pourquoi David veut s'installer là-bas.

Bilan 5 – page 83
a. Si (**chaque** – beaucoup de – certaines) personne fait attention à sa consommation, les ressources naturelles s'épuiseront moins vite.
b. Pour Noël, j'achète (aucun – chaque – **beaucoup de**) cadeaux non-matériels, comme une place de concert ou un dîner au restaurant.

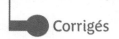

c. Tout le monde fait attention à sa santé, mais (**peu de** – chaque – plusieurs) personnes achètent des produits bio.
d. (Chaque – **Certains** – Aucun) sites, comme www.leboncoin.fr ou www.topannonces.fr, permettent d'acheter ou de vendre des biens d'occasion.
e. C'est étonnant de voir que (plusieurs – beaucoup de – **peu de**) personnes pratiquent le covoiturage : seulement 8 %.

Bilan 6 – page 83
a. S'il **fait** beau demain, j'**irai** travailler à vélo.
b. Si vous **éteignez** vos appareils électriques, vous **économiserez** de l'énergie.
c. Si nous **vivons** sans argent, nous **échangerons** nos compétences contre des produits.
d. Si elle **adhère** à une AMAP, elle **mangera** des légumes frais toute l'année.
e. Si vous **partagez** votre machine à laver, vos voisins **n'auront** pas besoin d'en acheter une.

Bilan 7 – page 83
a. Ce train est très confortable, nous voyageons **confortablement**.
b. Il est lent, il travaille **lentement**.
c. Ils sont patients, ils ont attendu le bus **patiemment**.
d. Vous êtes prudents, vous conduisez **prudemment**.
e. Il est actif, il recherche du travail **activement**.

Bilan 8 – page 83
La crise économique accroît les tensions sociales et souvent, elle entraîne une forte augmentation du chômage et une baisse importante de la consommation. Un nouvel équilibre reste à inventer.

Bilan 9 – page 83
Ce matin, j'ai demandé à Jean de me rendre le livre qu'il m'a emprunté il y a maintenant cinq ans.

Unité 8 S'engager pour une cause

Activité 1 – page 84
Salut Dounia,
Comment vas-tu ? Moi je commence ma 3e semaine de stage à Los Angeles.
J'ai encore un peu de mal à m'habituer à ce nouvel environnement. Avec la crise, je crois que de nombreuses personnes se sont retrouvées dans le **besoin**.
C'est vrai qu'en France les gens connaissent aussi des **difficultés**.
Et c'est la même **galère** pour trouver un appartement, encore plus quand on a de faibles **revenus**.
Il n'y a pas que des **problèmes** ! Il y a aussi le soleil, la plage, les magasins…
Et toi, ce stage à Dublin ? Écris-moi vite pour me raconter,
Bises,
Marie-Edith

Activité 2 – page 84
1c – 2e – 3a – 4d – 5b

Activité 3 – page 84
Proposition de corrigé :
a. Un petit geste pour Noël !
Donnez contre **l'exclusion**.
Donnez au profit des **plus démunis**.
b. Merci de votre générosité !
Les Restos du cœur collectent **aujourd'hui du pain et du lait**.
c. Notre cause est la vôtre
Notre défi **celui de toute la société**.
Rejoignez-nous !
d. On a besoin **de vous !**
Devenez **bénévole et rejoignez-nous !**

Activité 4 – page 85
a. C'est dans l'effort qu'on **vainc** les difficultés.
b. En pratiquant du sport, vous **vainquez** votre stress.
c. Je **vaincs** ma timidité en faisant du théâtre.
d. Mes petits frères **vainquent** leur peur du noir en se racontant de belles histoires.
e. Avec un bon traitement médical et du courage, tu **vaincs** les maladies plus facilement.

f. Tous les ans, au concours d'équitation, nous **vainquons** nos adversaires.

Activité 5 – page 85
Cela faisait longtemps j'y pensais et puis un jour, je me suis dit : « Si tu **étais** dans le besoin, tu **apprécierais** vraiment toute l'aide possible ! ». Je me suis alors renseigné et j'ai finalement contacté l'association « Autre monde ».
Ça me plaît vraiment et si des personnes **s'engageaient** dans l'aide humanitaire, les choses **évolueraient** et ils **se sentiraient** plus utiles, plus concernés. Bien sûr avec des « si », on peut rêver mais je me dis « et si ça **marchait**… ? »

Activité 6 – page 85
Proposition de corrigé :
a. Si j'avais le temps, **je m'inscrirais dans une association**.
b. **Si on pouvait revenir en arrière**, je ne referais pas les mêmes erreurs.
c. **Il y aurait moins de guerre**, si les femmes gouvernaient le monde !
d. Si je n'étais pas né au xxe siècle, **j'aurais aimé vivre à la Belle Époque**.
e. Vous vous sentiriez plus utiles, **si vous étiez bénévoles dans une association**.

Activité 7 – page 86
1b – 2d – 3a – 4c

Activité 8 – page 86
a. athlète
b. sportif
c. énergie
d. médaille
e. sport

Activité 9 – page 86
Portrait d'une **championne** de natation : Laure Manaudou

Laure Manaudou est une nageuse française née le 9 octobre 1986.
Elle **pratique** les 4 nages.
Elle a remporté la **médaille** d'or **olympique** sur 400 mètres en 2004.
Elle **a franchi** toutes les **épreuves** européennes et mondiales et a gagné des

courses sur toutes les distances : 50 m, 100 m, 200 m, 400 m etc.
Aujourd'hui, elle a arrêté les compétitions mais elle pratique encore la natation pour son plaisir.
À présent, c'est son frère, Florent Manaudou, qui remporte des médailles.

Activité 10 – page 86
b – c – a – e – d

Activité 11 – page 87
b – c – e

Activité 12 – page 87
a. Kevin est parti au japon pour travailler comme ingénieur. / Kevin est parti au japon afin de travailler comme ingénieur.
b. Les associations aident les gens pour qu'ils vivent mieux.
c. Il faut beaucoup de dons pour acheter de la nourriture. / Il faut beaucoup de dons afin d'acheter de la nourriture.
d. Liliane a proposé des cours de soutien pour accompagner les élèves en difficulté. / Liliane a proposé des cours de soutien afin d'accompagner les élèves en difficulté.

Activité 13 – page 87
a. Les associations à but humanitaire font de la publicité **afin d'informer les gens des moyens de s'engager**.
b. Les personnes choisissent de s'engager **pour se sentir plus utiles**.
c. Les bénévoles acceptent des missions à l'étranger **pour s'ouvrir à d'autres cultures**.
d. Les personnes âgées s'engagent **afin de rencontrer des gens dans le besoin**.

Activité 14 – page 88
a. une infirmière – **b.** un hôpital – **c.** un patient – **d.** une blessure – **e.** un médecin – **f.** être en bonne santé

Activité 15 – page 88
Proposition de corrigé :
– Je ne comprends pas, je suis toujours fatigué et toi toujours en pleine forme. Comment fais-tu pour être en bonne santé ?
– Je fais beaucoup de sports. J'aime

beaucoup la natation et quand il fait beau, je fais mon jogging dans la forêt près de chez moi. Tu ne fais pas de sport ?
– Ah non, je ne fais pas de sport, j'ai du mal à me motiver, comment faire ?
– Tu peux prendre un abonnement à un club de gym ou bien t'acheter un vélo d'appartement, ça te motivera !
– Je pense aussi que je ne dois pas manger assez équilibré, je saute des repas et je mange beaucoup de chocolat.
– Oui, c'est important de ne pas sauter des repas. Aussi, il faut manger des fruits et des légumes tous les jours. Es-tu déjà allé chez le médecin ? Tu as peut-être un manque de vitamines…
– Non, je vais rarement chez le médecin. Tu as peut-être raison. Et c'est tout ?
– Il faut aussi boire beaucoup d'eau pendant la journée.
– C'est vrai que je ne bois pas assez d'eau, j'y penserai maintenant !

Activité 16 – page 88

Phrases	1	2	3	4	5	6
Situations	d	a	f	b	c	e

Activité 17 – page 89
D'après une étude qui **a été menée** par le ministère de la jeunesse et des sports, 39 % des Français font du sport environ 5 heures par semaine.
Le football arrive en première position et **est pratiqué** en club par plus de 2 millions de personnes, arrivent ensuite le tennis, le judo et la pétanque même si ce dernier **était considéré** jusqu'à présent plus comme un moment de détente qu'un véritable sport. Dans les 10 sports les plus pratiqués par les Français, on retrouve le ski, le golf, l'équitation ou la voile et qui **sont appréciés** par plus de 200 000 personnes inscrites dans des associations sportives.
Mais les pratiques sportives évoluent rapidement ; les femmes sont de plus en plus nombreuses en club par exemple.
On peut ainsi se demander quels sports **seront appréciés** par les Français dans 10 ans.

Activité 18 – page 89
a. En 1998, la coupe du monde de football a été gagnée par la France.
b. Les retransmissions de compétitions sportives sont payées très chères par les télévisions.
c. Il y a 20 ans, le sport n'était pas autant regardé à la télévision.
d. De nombreuses médailles seront gagnées par les sportifs professionnels au cours de leur carrière.
e. Juste avant une compétition, tous les joueurs de l'équipe seront interviewés par les journalistes.
f. La ligne d'arrivée n'a pas été franchie par les coureurs avant 17 h 30.

Activité 19 – page 89
a. Toulouse. Un accord a été signé entre les associations et la mairie pour aider les plus démunis.
b. Londres. La médaille d'or a été gagnée par le sportif anglais.
c. Rimini. Les voleurs ont été arrêtés alors qu'il tentait de prendre la fuite.
a. New York. Le roman de l'année a été écrit par Soan Queen. Il a remporté de nombreux prix.
e. Ardèche. De nouvelles peintures rupestres ont été découvertes. C'est une véritable avancée pour l'histoire !
f. Marseille. Le maire a été élu avec 60 % des voies, c'est une belle victoire.

Activité 20 – page 90
a. Ils nous l'ont un peu expliqué.
b. Est-ce que vous les lui aviez confiées ?
c. Je ne la lui ai pas posée.
d. Est-ce que vous lui en avez parlé ?
e. Nous ne les y avons pas vus.

Activité 21 – page 90
a. Sylvie et Anne les lui transmettent.
b. Thomas nous l'a décrit.
c. Quand on était en vacances en Corse, Astrid nous l'a raconté.
d. De nombreux parents ne veulent pas la leur offrir.
e. Tu le lui as bien dit ?
f. La semaine dernière, je lui en ai acheté.

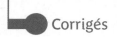

Activité 22 – page 90

a. Oui, je <u>leur</u> en ai déjà parlé et tout le monde est très motivé et enthousiaste.
→ Nos équipes
b. C'est indispensable en effet, j'ai très envie de <u>les</u> y rencontrer. → Les employés de l'UNICEF
c. C'est encore un peu tôt, on <u>en</u> a quelques unes : des jeux, des affiches, des vidéos, des rencontres… → Des idées
d. Non pas encore, mais après la réunion de demain, on vous <u>en</u> montrera quelques-uns. → Des thèmes
e. Oui, c'est vrai ! Je vais également leur en faire part demain. → Les responsables
f. Oui toujours ! Nous nous <u>y</u> retrouverons. → La conférence

Activité 23 – page 91

Départ ↓

oui	oie			
	poids			
	louis	loin	point	soin
				soie
				louer

↓ **Arrivée**

Activité 24 – page 91

Départ ↓

don			
association			
prochain	habitant	voisin	
		soin	
	situation	enfance	solution

↓ **Arrivée**

Activité 25 – page 91
Proposition de corrigé :

Bon, ça y'est, c'est la première…. Oui, tout le monde est là : les journalistes, vos familles, vos amis et vous ressentez beaucoup de pression et de stress. Mais je suis absolument certain que ça va être une réussite ! Vous n'êtes pas sûr de vous ? Vous doutez ? Faites-moi confiance : je sais que vous êtes prêts. Vous avez peur d'oublier votre texte, de tomber sur scène ou de jouer vraiment très mal… ? Mais on a beaucoup travaillé, répété, souffert. J'ai confiance en vous, vous allez y arriver et ça va être le spectacle le plus réussi de l'année !

Activité 26 – page 91
Proposition de corrigé :

ADMICAL
Siège social Paris
Le 4 mars 2012,

Objet : Demande de mécénat pour un projet de protection des animaux.

C'est avec grand intérêt que nous avons pris connaissance de votre site Internet et de vos missions.

Nous avons fondé notre association « Animalprotect » il y a maintenant 5 ans afin de venir en aide aux animaux abandonnés. En effet, de plus en plus d'animaux sont maltraités et abandonnés. Nous avons décidé de réagir. Nous nous sommes engagés dans cette cause d'abord pour trouver des refuges et soigner les animaux trouvés, mais aussi pour faire de la publicité afin de sensibiliser la population au sort de ces animaux.

Avec votre aide, nous pourrons faire plus encore et dans de meilleures conditions. Tout donateur reçoit tous les ans, un bilan des missions effectuées et de leurs résultats. Nous vous garantissons une gestion des dons très sérieuse. Nous vous invitons à aller regarder notre site : www.animalprotect.org où vous trouverez des témoignages mais aussi les bilans annuels de ces 5 années.

Nous sommes évidemment à votre disposition pour toute demande d'information et nous serions heureux de vous rencontrer pour vous présenter nos projets en cours. Dans l'attente d'une réponse positive de votre part, veuillez agréer mes salutations distinguées.
Mathilde Roullier et Régis Lefort

Bilan 1 – page 92

a. S'investir dans une annonciation permet de se sentir (important/fier/**utile**).
b. Plusieurs fois dans l'année les associations font des collectes de (**fonds**/ ronds/gens).
c. Dans notre association, nous voulons (**monter un projet**/penser un projet/ fabriquer un projet) pour l'année prochaine.
d. Cela prend beaucoup de temps de (soulever/**soutenir**/exprimer) une cause.
e. Il faut encourager les jeunes à (**s'engager**/s'inscrire/s'organiser) dans des actions humanitaires.

Bilan 2 – page 92

a. départ
b. arrivée
c. médaille
d. athlétisme
e. épreuve

Bilan 3 – page 92

1b – 2d – 3e – 4c – 5a

Bilan 4 – page 92

Dorian: Si on **avait** les moyens, **j'aimerais** bien qu'on parte très loin pour une fois…
Aurélie : Tu dis ça tous les ans mais je crois qu'on n'aura jamais vraiment assez d'argent pour partir aux Maldives dans un hôtel 5 étoiles !
Dorian : Je pensais plutôt à un voyage économique, faire du camping par exemple, si tu y **réfléchissais** ?
Aurélie : Envisager une destination lointaine possible tu veux dire ?
Dorian : Oui, vois ça comme de l'éco-tourisme. Et si je nous **trouvais** un super voyage pas trop cher : on **dormirait** chez les gens en échange de services par exemple !

Bilan 5 – page 93

Le milieu médical est d'accord sur un point : la pratique d'un sport est une d'une grande aide **pour** / **afin de** se maintenir en bonne santé.

Afin de / **Pour** garder la forme, les médecins conseillent à leurs patients de faire des exercices régulièrement et

de manger équilibré. Éviter le stress est également un élément essentiel **pour que** les gens gardent un esprit sain dans un corps sain. Ainsi, **pour que** leurs clients soient détendus, les salles de sport proposent des cours de yoga.

Bilan 6 – page 93
a. Quand je me suis cassé la jambe, (j'étais pris/**ai été pris**/suis pris) en charge par le personnel médical de l'hôpital Saint-Antoine.
b. En 50 ans, de grandes avancées médicales (étaient faites/**ont été faites**/seront faites) par les chercheurs.
c. Si tu te blesses parce que tu n'as pas mis tes protections, l'entraîneur (**ne sera pas**/n'aura pas été/n'est pas) content.
d. L'année de mes 10 ans, j'(**ai été hospitalisée**/suis hospitalisée/serai hospitalisée) pendant un jour.
e. L'hiver prochain, la grippe (a été attrapée/**sera attrapée**/est attrapée) par les personnes les plus fragiles, donc les personnes âgées et les enfants.

Bilan 7 – page 93
a. Mes frères voulaient des montres. Mes parents leur **en** ont offert pour leur anniversaire.
b. Il est important de lutter pour défendre les animaux en danger : Pierre **le** leur a bien fait comprendre.
c. Mon cousin est à l'hôpital et ses livres lui manquent. Avec toute ma famille, on les **lui** a envoyés.
d. Emeline et Anastasia ont reçu un colis de leurs correspondantes polonaises. Elles **leur** en ont envoyé aussi.
e. Mathias a reçu une lettre de sa grand-mère. Nous **la** lui avons lue.
f. Dimanche, à la fête du village, on espérait croiser nos voisins mais on ne les **y** a pas vus.

Bilan 8 – page 93
Aujourd'hui, nous souhaitons créer un endroit pour donner de l'espoir et aider les gens dans le besoin. Cette association nous permettra de récolter des dons pour soigner certaines maladies rares ou méconnues.

Bilan 9 – page 93
a. Elle est très impatiente de te connaître !
b. Elle se demande comment il s'appelle.
c. Tu lui as demandé pardon et il t'a pardonné.
d. Elle fonctionne comment, cette association ?

Unité 9 Repenser le quotidien

Activité 1 – page 94
a. sexe
b. âge
c. profession
d. revenus
e. situation de famille

Activité 2 – page 94
a. REVENU
b. CLASSE
c. ÉLEVÉ
d. LOGEMENT
e. ACTIFS

f. Le synonyme de « classe sociale » est : CATÉGORIE SOCIALE

Activité 3 – page 95

Profil sociologique des personnes vivant un dans logement social	
☒ entre 18 et 35 ans	☐ entre 35 et 50 ans
☐ entre 50 et 65 ans	☐ plus de 65 ans
☐ agriculteur	☐ artisan, commerçant
☐ cadre	☐ professeur, agent administratif
☒ employé	☒ ouvrier
☐ retraité	☒ demandeur d'emploi, étudiant
☒ moins de 1 200 € / mois	☐ entre 1 200 et 2 000 € / mois
☐ entre 2 000 et 3 000 €/ mois	☐ plus de 3 000 € / mois
☐ célibataire	☒ en couple
☐ veuf (ve)	☐ divorcé(e)
☐ sans enfant	☒ avec 1 ou 2 enfants
☐ avec 3 ou 4 enfants	☐ avec plus de 4 enfants

Activité 4 – page 95
a. Le gouvernement **conclut** un accord avec les associations de protection de l'environnement.
b. Tu **résous** ce problème, tu trouves une solution.
c. Je **dissous** le sucre dans mon café chaud.
d. Nous **excluons** cet étudiant de la salle d'examens parce qu'il triche.
e. Vous **concluez** votre lettre par une formule de politesse.

f. Les policiers **résolvent** cette affaire de vol, ils trouvent le coupable.

Activité 5 – page 96
b – c – e – f

Activité 6 – page 96
a. Son appartement est grand et bien situé ; par contre, il n'est pas très lumineux.
b. Il ne veut pas prendre de locataires malgré la solitude.
c. La maison de mes parents fait 150 m² alors que mon studio fait 16 m².
d. Je ne veux pas quitter Lille même si j'ai trouvé du travail à Paris.
e. Dans cette ville, les loyers ne sont pas très élevés malgré la crise.
f. Ils vivent à la campagne alors qu'ils travaillent en ville.

Activité 7 – page 96
1b – 2c – 3a – 4d

Activité 8 – page 96
1b – 2c – 3e – 4f – 5a – 6d

Activité 9 – page 97
– Maman ! Est-ce que je peux aller jouer dehors avant **le dîner** ?
– Oui, mais tu sortiras après **avoir fait tes devoirs**.
– Mais Alix m'attend pour faire du basket…
– Ne discute pas ! Tu fais tes devoirs avant **de jouer dehors** ! J'irai avec toi voir Alix. J'ai prêté un sac de charbon à son papa et il ne me l'a pas rendu après **avoir allumé son barbecue**.

Activité 10 – page 97
a. Avant de prendre le bus, elle va chercher ses enfants à l'école.
b. Après être rentrés à la maison, Camille et ses enfants préparent le dîner.
c. Avant le dîner, elle donne le bain à ses enfants.
d. Avant de travailler sur son ordinateur, Camille couche ses enfants.
e. Après avoir lu un peu, elle se couche.

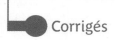

Activité 11 – page 97
a. un embouteillage – **b.** un pavillon –
c. une métropole – **d.** un lotissement –
e. un champ

Activité 12 – page 98
a. terrain – **métropole** – champ
b. arrêt de bus – station de métro –
lotissement
c. pavillon – studio – **locataire**
d. ligne de métro – aire de jeux – panier
de basket
e. centre culturel – **centre-ville** – théâtre

Activité 13 – page 98
b – d – e – h

Activité 14 – page 98
a. Il joue un rôle dans une pièce de théâtre
ou dans un film, c'est un **comédien**.
b. Il taille la pierre, le bois etc.… pour faire
une œuvre d'art, c'est un **sculpteur**.
c. Il donne des concerts, c'est un
musicien.
d. Il marche sur une corde, au-dessus du
sol, c'est un **funambule**.
e. Il peint des tableaux, c'est un **peintre**.

Activité 15 – page 98
1b – 2a – 3e – 4d – 5c – 6f

Activité 16 – page 99
a. dimanche après-midi – **b.** vendredi à
19 heures – **c.** dimanche midi – **d.** vendredi
à 17 heures – **e.** Samedi soir – **f.** Samedi
après-midi

Activité 17 – page 99
a – b – e

Activité 18 – page 99
a. Pierre est heureux de vivre à la
campagne.
b. Je suis étonné que le loyer de mon
studio augmente tous les ans.
c. Nous n'aimons pas que nos voisins
fassent du bruit.
d. Ils sont furieux qu'il y ait une nouvelle
autoroute près de leur maison.
e. Lili adore aller travailler à vélo.

Activité 19 – page 100
1d – 2a – 3c – 4e – 5f – 6b

Activité 20 – page 100
a. **Les enfants**, **ils** adorent le théâtre de
rue !
b. **Ce petit garçon**, le comédien **lui** a
proposé de venir sur la scène.
c. **Des spectacles pour enfants**, il y **en**
a toute l'année.
d. **Les comédiens**, on **les** a applaudis
très fort.
e. **Cette ville**, la compagnie **y** a déjà joué
plusieurs fois.

Activité 21 – page 100
a. Ce quartier, nous y habitons depuis un
mois.
b. Nos voisins, nous les invitons souvent
pour le dîner.
c. Les enfants, ils jouent souvent
ensemble.
d. Des commerces, il y en a près de chez
nous.
e. Notre nouveau quartier, nous en sommes
très contents.

Activité 22 – page 101
Proposition de corrigé :
a. Ce spectacle, il a beaucoup de succès.
b. Le violoniste, je l'ai déjà vu dans un
autre spectacle.
c. Les deux chanteuses, elles ont des voix
magnifiques.
d. Ce château, on y donne souvent des
concerts classiques.
e. Les spectateurs, ils se sont levés pour
applaudir.

Activité 23 – page 101
Proposition de corrigé :
– Pourquoi tu ne prends pas un
appartement en colocation ? Tu auras plus
d'espace. Tu as envie de te retrouver dans
un petit studio où tu es obligé de plier le lit
tous les matins pour pouvoir marcher
– Ah non, la colocation, ce n'est pas pour
moi…
– Il y a plein d'avantages, tu paies moins
cher de loyer, tu économises sur les
charges

– Mais, laisse-moi finir ! Je crois que
j'aime bien avoir mon espace à moi et je
n'ai pas envie de vivre en colocation
– En plus tu vas t'installer dans une
ville que tu ne connais pas, tu pourras
rencontrer plein de gens sympas ! Toi qui
es si timide !
– Tu exagères ! Je ne peux pas te laisser
dire ça ! Je ne suis pas timide, je veux
juste être indépendant !
– Allez viens, on va regarder sur Internet,
il y a plein de sites pour trouver des
colocataires !
– Tu permets ? C'est ma vie quand même !
C'est moi qui décide si j'ai envie de vivre
en colocation ou pas !

Activité 24 – page 101
Proposition de corrigé :
Il est question d'interdire le centre-ville
aux voitures et, comme à chaque fois
qu'une idée est lancée, certains réagissent
en râlant : « ah… mais comment on va
faire ? » ; « J'ai besoin de ma voiture pour
aller travailler… » ; « Et moi, avec mes
enfants ? »

Et si on arrêtait un peu de ne penser qu'à
soi-même ?
Il me semble que l'interdiction des voitures
est une mesure écologique, qui aurait des
conséquences bénéfiques pour tout le monde.
D'abord, la qualité de l'air serait meilleure,
ce qui contribuerait à réduire les maladies
qui sont liées à la pollution, comme les
bronchites, l'asthme, et même certains
cancers.
Ensuite, cela réduirait la pollution sonore,
car, oui, le bruit est une vraie nuisance qui
influe sur la santé.
Enfin, cela améliorerait la sécurité en ville,
où, actuellement, la majorité des accidents
sont provoqués par les voitures.
Bien sûr, cette interdiction doit prendre
en compte les besoins de chacun et
doit s'accompagner d'aménagements :
développement des transports en commun,
construction de parkings à l'entrée des
centres-villes…
En résumé, il est normal que ces mesures
visant à changer nos comportements soient

d'abord mal accueillies. Tout ceci prendra du temps mais, au final, je crois que chacun y gagnera.

Bilan 1 – page 102
a. le mode de vie
b. les actifs
c. un logement social
d. la classe sociale
e. le profil
f. le revenu

Bilan 2 – page 102
1c – 2b – 3 a – 4e – 5g – 6f – 7d

Bilan 3 – page 102
« Chemins » de la compagnie canadienne « les 7 mousquetaires »
Ce spectacle, qui vient de triompher à New York pendant un an, arrive en France ! Ne le ratez pas !
Les sept artistes de cette **compagnie** sont à la fois acrobates, chanteurs, danseurs et **comédiens**. Leurs **talents** sont multiples et leur énergie est débordante ! Leur **spectacle** « Chemins » est une **performance** poétique et explosive.

Bilan 4 – page 102
a. Je préfère habiter en ville **même si** c'est bruyant.
b. Son logement est confortable. **Par contre**, elle n'a pas de connexion Internet.
c. Il est heureux de vivre à l'étranger **malgré** l'éloignement.
d. Mon mari rêve d'aller vivre en Auvergne **alors que** moi, je ne veux pas quitter Paris.

Bilan 5 – page 103
Je suis né à Paris. (Avant **Après**) avoir passé une dizaine d'années dans la région parisienne, mes parents ont déménagé à Angers. Ils ont loué une maison pendant quelque temps (**avant** – après) d'acheter un pavillon avec un jardin dans la périphérie d'Angers. J'ai donc grandi à Angers, puis, je suis allé étudier à Nantes. (Avant – **Après**) avoir vécu deux ans dans une chambre universitaire, j'ai pris un studio dans le centre-ville. (Avant – **Après**) quatre années d'études, je suis allé travailler en Hongrie. Puis, j'ai passé trois mois à Londres en Angleterre (**avant** – après) de revenir m'installer à Nantes. (Avant – **Après**) m'être installé, j'ai trouvé un travail très intéressant.

Bilan 6 – page 103
a. Nous voudrions changer de quartier.
b. J'aimerais que tu viennes visiter cette maison avec moi.
c. Tu achètes de la peinture pour repeindre le salon.
d. Vous êtes heureux qu'il fasse souvent beau dans votre région.
e. J'ai envie de vivre au bord de la mer.
f. Je pense louer mon appartement.

Bilan 7 – page 103
1b – 2f – 3a – 4c – 5d – 6e

Conjugaisons

ÊTRE

présent	passé composé	imparfait	futur simple	subjonctif
je suis	j'ai été	j'étais	je serai	que je sois
tu es	tu as été	tu étais	tu seras	que tu sois
il/elle/on est	il/elle/on a été	il/elle/on était	il/elle/on sera	qu'il/elle/on soit
nous sommes	nous avons été	nous étions	nous serons	que nous soyons
vous êtes	vous avez été	vous étiez	vous serez	que vous soyez
ils/elles sont	ils/elles ont été	ils/elles étaient	ils/elles seront	qu'ils/elles soient

AVOIR

présent	passé composé	imparfait	futur simple	subjonctif
j'ai	j'ai eu	j'avais	j'aurai	que j'aie
tu as	tu as eu	tu avais	tu auras	que tu aies
il/elle/on a	il/elle/on a eu	il/elle/on avait	il/elle/on aura	qu'il/elle/on ait
nous avons	nous avons eu	nous avions	nous aurons	que nous ayons
vous avez	vous avez eu	vous aviez	vous aurez	que vous ayez
ils/elles ont	ils/elles ont eu	ils/elles avaient	ils/elles auront	qu'ils/elles aient

Verbes réguliers en -er : PARLER (aimer, écouter, regarder)

présent	passé composé	imparfait	futur simple	subjonctif
je parle	j'ai parlé	je parlais	je parlerai	que je parle
tu parles	tu as parlé	tu parlais	tu parleras	que tu parles
il/elle/on parle	il/elle/on a parlé	il/elle/on parlait	il/elle/on parlera	qu'il/elle/on parle
nous parlons	nous avons parlé	nous parlions	nous parlerons	que nous parlions
vous parlez	vous avez parlé	vous parliez	vous parlerez	que vous parliez
ils/elles parlent	ils/elles ont parlé	ils/elles parlaient	ils/elles parleront	qu'ils/elles parlent

Verbes réguliers en -ir : FINIR (choisir, réfléchir, remplir, réussir)

présent	passé composé	imparfait	futur simple	subjonctif
je finis	j'ai fini	je finissais	je finirai	que je finisse
tu finis	tu as fini	tu finissais	tu finiras	que tu finisses
il/elle/on finit	il/elle/on a fini	il/elle/on finissait	il/elle/on finira	qu'il/elle/on finisse
nous finissons	nous avons fini	nous finissions	nous finirons	que nous finissions
vous finissez	vous avez fini	vous finissiez	vous finirez	que vous finissiez
ils/elles finissent	ils/elles ont fini	ils/elles finissaient	ils/elles finiront	qu'ils/elles finissent

Verbe en -ir du 3e groupe : ACCUEILLIR

présent	passé composé	imparfait	futur simple	subjonctif
j'accueille	j'ai accueilli	j'accueillais	j'accueillerai	que j'accueille
tu accueilles	tu as accueilli	tu accueillais	tu accueilleras	que tu accueilles
il/elle/on accueille	il/elle/on a accueilli	il/elle/on accueillait	il/elle/on accueillera	qu'il/elle/on accueille
nous accueillons	nous avons accueilli	nous accueillions	nous accueillerons	que nous accueillions
vous accueillez	vous avez accueilli	vous accueilliez	vous accueillerez	que vous accueilliez
ils/elles accueillent	ils/elles ont accueilli	ils/elles accueillaient	ils/elles accueilleront	qu'ils/elles accueillent

Verbe en -indre : CRAINDRE

présent	passé composé	imparfait	futur simple	subjonctif
je crains	j'ai craint	je craignais	je craindrai	que je craigne
tu crains	tu as craint	tu craignais	tu craindras	que tu craignes
il/elle/on craint	il/elle/on a craint	il/elle/on craignait	il/elle/on craindra	qu'il/elle/on craigne
nous craignons	nous avons craint	nous craignions	nous craindrons	que nous craignions
vous craignez	vous avez craint	vous craigniez	vous craindrez	que vous craigniez
ils/elles craignent	ils/elles ont craint	ils/elles craignaient	ils/elles craindront	qu'ils/elles craignent

Verbe en -oire : BOIRE

présent	passé composé	imparfait	futur simple	subjonctif
je bois	j'ai bu	je buvais	je boirai	que je boive
tu bois	tu as bu	tu buvais	tu boiras	que tu boives
il/elle/on boit	il/elle/on a bu	il/elle/on buvait	il/elle/on boira	qu'il/elle/on boive
nous buvons	nous avons bu	nous buvions	nous boirons	que nous buvions
vous buvez	vous avez bu	vous buviez	vous boirez	que vous buviez
ils/elles boivent	ils/elles ont bu	ils/elles buvaient	ils/elles boiront	qu'ils/elles boivent

Verbe en -ure : CONCLURE

présent	passé composé	imparfait	futur simple	subjonctif
je conclus	j'ai conclu	je concluais	je conclurai	que je conclue
tu conclus	tu as conclu	tu concluais	tu concluras	que tu conclues
il/elle/on conclut	il/elle/on a conclu	il/elle/on concluait	il/elle/on conclura	qu'il/elle/on conclue
nous concluons	nous avons conclu	nous concluions	nous conclurons	que nous concluions
vous concluez	vous avez conclu	vous concluiez	vous conclurez	que vous concluiez
ils/elles concluent	ils/elles ont conclu	ils/elles concluaient	ils/elles concluront	qu'ils/elles concluent

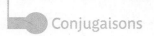
Verbe en -oudre : RÉSOUDRE

présent	passé composé	imparfait	futur simple	subjonctif
je résous	j'ai résolu	je résolvais	je résoudrai	que je résolve
tu résous	tu as résolu	tu résolvais	tu résoudras	que tu résolves
il/elle/on résout	il/elle/on a résolu	il/elle/on résolvait	il/elle/on résoudra	qu'il/elle/on résolve
nous résolvons	nous avons résolu	nous résolvions	nous résoudrons	que nous résolvions
vous résolvez	vous avez résolu	vous résolviez	vous résoudrez	que vous résolviez
ils/elles résolvent	ils/elles ont résolu	ils/elles résolvaient	ils/elles résoudront	qu'ils/elles résolvent

Verbe en -tre : METTRE

présent	passé composé	imparfait	futur simple	subjonctif
je mets	j'ai mis	je mettais	je mettrai	que je mette
tu mets	tu as mis	tu mettais	tu mettras	que tu mettes
il/elle/on met	il/elle/on a mis	il/elle/on mettait	il/elle/on mettra	qu'il/elle/on mette
nous mettons	nous avons mis	nous mettions	nous mettrons	que nous mettions
vous mettez	vous avez mis	vous mettiez	vous mettrez	que vous mettiez
ils/elles mettent	ils/elles ont mis	ils/elles mettaient	ils/elles mettront	qu'ils/elles mettent

Verbe en -uire : PRODUIRE

présent	passé composé	imparfait	futur simple	subjonctif
je produis	j'ai produit	je produisais	je produirai	que je produise
tu produis	tu as produit	tu produisais	tu produiras	que tu produises
il/elle/on produit	il/elle/on a produit	il/elle/on produisait	il/elle/on produira	qu'il/elle/on produise
nous produisons	nous avons produit	nous produisions	nous produirons	que nous produisions
vous produisez	vous avez produit	vous produisiez	vous produirez	que vous produisiez
ils/elles produisent	ils/elles ont produit	ils/elles produisaient	ils/elles produiront	qu'ils/elles produisent

SUIVRE

présent	passé composé	imparfait	futur simple	subjonctif
je suis	j'ai suivi	je suivais	je suivrai	que je suive
tu suis	tu as suivi	tu suivais	tu suivras	que tu suives
il/elle/on suit	il/elle/on a suivi	il/elle/on suivait	il/elle/on suivra	qu'il/elle/on suive
nous suivons	nous avons suivi	nous suivions	nous suivrons	que nous suivions
vous suivez	vous avez suivi	vous suiviez	vous suivrez	que vous suiviez
ils/elles suivent	ils/elles ont suivi	ils/elles suivaient	ils/elles suivront	qu'ils/elles suivent

VAINCRE

présent	passé composé	imparfait	futur simple	subjonctif
je vaincs	j'ai vaincu	je vainquais	je vaincrai	que je vainque
tu vaincs	tu as vaincu	tu vainquais	tu vaincras	que tu vainques
il/elle/on vainc	il/elle/on a vaincu	il/elle/on vainquait	il/elle/on vaincra	qu'il/elle/on vainque
nous vainquons	nous avons vaincu	nous vainquions	nous vaincrons	que nous vainquions
vous vainquez	vous avez vaincu	vous vainquiez	vous vaincrez	que vous vainquiez
ils/elles vainquent	ils/elles ont vaincu	ils/elles vainquaient	ils/elles vaincront	qu'ils/elles vainquent

VALOIR

présent	passé composé	imparfait	futur simple	subjonctif
je vaux	j'ai valu	je valais	je vaudrai	que je vaille
tu vaux	tu as valu	tu valais	tu vaudras	que tu vailles
il/elle/on vaut	il/elle/on a valu	il/elle/on valait	il/elle/on vaudra	qu'il/elle/on vaille
nous valons	nous avons valu	nous valions	nous vaudrons	que nous valions
vous valez	vous avez valu	vous valiez	vous vaudrez	que vous valiez
ils/elles valent	ils/elles ont valu	ils/elles valaient	ils/elles vaudront	qu'ils/elles vaillent

VIVRE

présent	passé composé	imparfait	futur simple	subjonctif
je vis	j'ai vécu	je vivais	je vivrai	que je vive
tu vis	tu as vécu	tu vivais	tu vivras	que tu vives
il/elle/on vit	il/elle/on a vécu	il/elle/on vivait	il/elle/on vivra	qu'il/elle/on vive
nous vivons	nous avons vécu	nous vivions	nous vivrons	que nous vivions
vous vivez	vous avez vécu	vous viviez	vous vivrez	que vous viviez
ils/elles vivent	ils/elles ont vécu	ils/elles vivaient	ils/elles vivront	qu'ils/elles vivent

■ Table des matières

Module 1 | Mutiplier ses contact

Module 2   Évoluer dans un environnement

Module 3 | Changer le monde